本当はスゴイ！滋賀の文化財

監修／滋賀県文化財保護課

目次

第1章

文化財って何だろう?

・漢字の読み方や文化財をめぐるエピソードには、諸説あるものもあります。

・時代区分は、おおよそ中学校で習う歴史をもとにしています。

・所蔵などは2021年(令和3)3月現在のものです。

第2章

滋賀の文化財の話あれこれ

第1章

文化財って何だろう？

文化財って
何なの？

どんな種類
があるの？

どれだけ
あるの？

どうやって
守られて
いるの？

文化財とは

長い歴史の中で生まれ、育まれ、今日まで守り伝えられてきた貴重な私たちの財産です。歴史や文化の正しい理解のために欠くことができないものであり、将来の文化の向上発展の基礎をなすものです。

特に滋賀県の文化財は、長い年月をかけて培われてきた地域の歴史の中で、生活に密着し、篤い信仰の中に溶け込み、世代を越えて守り伝えられていることが最大の特徴です。地域に根付いた文化財が県内各地に点在しているので、本物の文化財に親しみ、身近に感じることができます。

文化財愛護シンボルマーク

日本建築の重要な要素である斗栱（組物）をイメージしたもので、三つ重ねることにより、文化財を現在・過去・未来にわたり永遠に伝承していくという愛護精神を表現したものです。

滋賀県の文化財ここがスゴイ！

滋賀県は全国屈指の文化財保有県

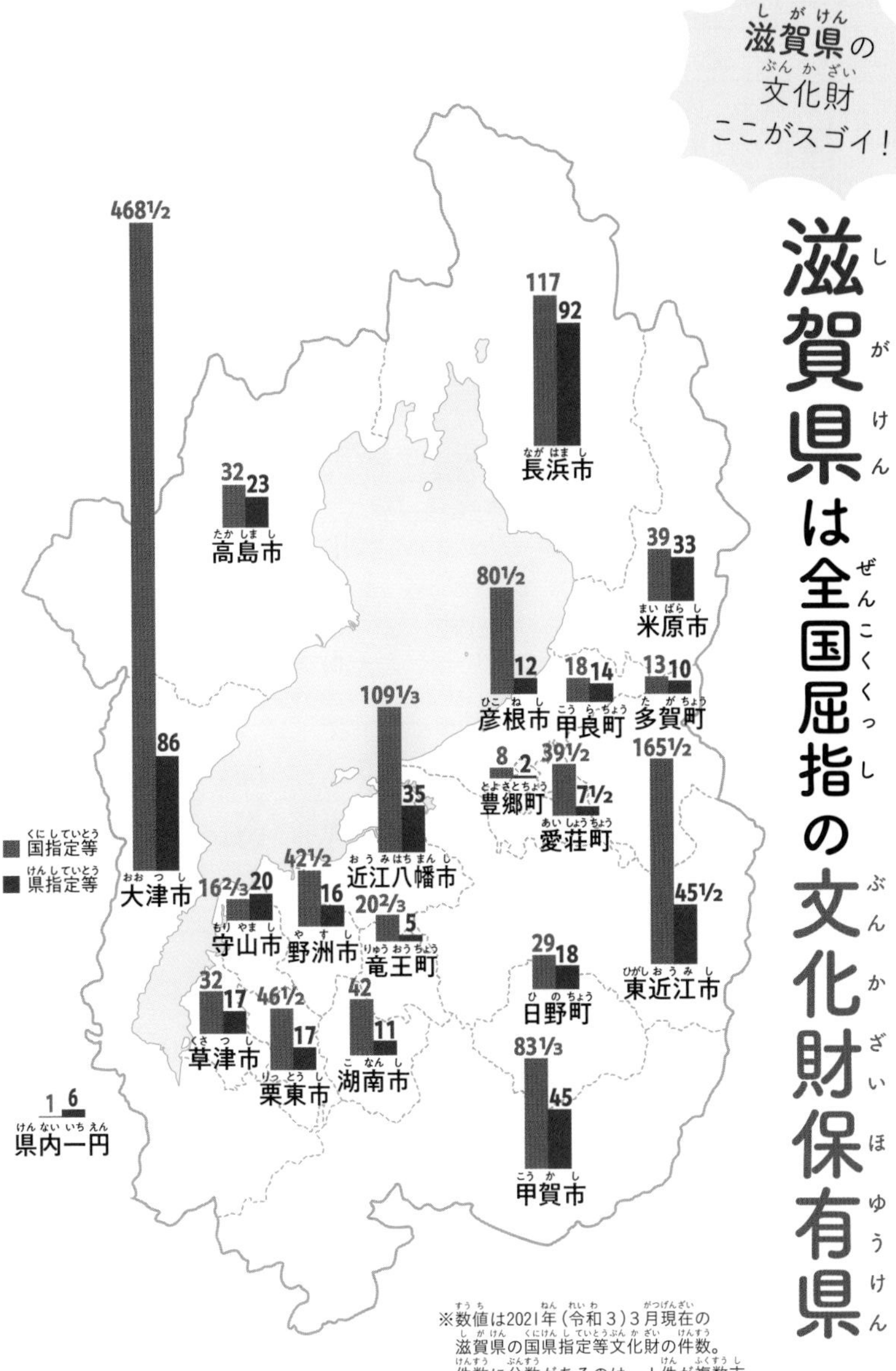

※数値は2021年（令和３）３月現在の滋賀県の国県指定等文化財の件数。件数に分数があるのは、１件が複数市町にまたがる場合があるため。

文化財保護のあゆみ

文化財の保護は、その時の社会情勢により危機に瀕した文化財を守っていけるように整備が進められてきました。明治維新以降の出来事を振り返ってみましょう。

廃仏毀釈から古器旧物調査へ

男性が髷を切り落とし、肉食が公に広まった明治の「文明開化」と呼ばれる現象は、受け継がれてきた日本の伝統文化を時代遅れのものとして簡単に消し去る傾向も生んでいました。

奈良時代の昔から日本では仏教と神道は神仏習合の形をとっていましたが、明治新政府は神道を上位に位置づけ、仏教と切り離すために、1868年（明治元）、「神仏分離令」を発します。これは仏教の全面的な排除をめざすものではありませんでしたが、全国各地で仏像や仏堂、仏具を破壊する廃仏毀釈の動きが起こりました。

奈良・興福寺では堂や塀、蔵が壊され、鎌倉・

鶴岡八幡宮でも境内にあった大塔（多宝塔）などの仏教建築が取り壊されました。滋賀県内でも、日吉大社（大津市）にあった仏像や仏具が破壊されました。

さらに1871年（明治4）と1875年（明治8）に、寺社領を没収して新政府の管轄下とする上知令が出されると、大寺院は経済的基盤を失い、所有の仏画や経巻などを売り払う例もみられるようになりました。

同年5月、明治政府は「**古器旧物保存方**」を布告し、全国各府県に古い宝物類（古器旧物）の目録を提出させ、調査しました。この布告は、大学（現在の文部科学省）が、欧米にならって集古館（博物館）を建設すべきことと、同館に収蔵する古器旧物は「古今時勢ノ変遷」や「制度風俗ノ沿革ヲ考証」するために重要であると説いた提言を受けたものでした。

この時、古器旧物としてあげられた物品の一覧が左の表です。仏像・仏具は最後から二つ目にようやくあげられています。また、博物館に収められない建造物は対象になっていませんでした。

「古器旧物保存方」にある31の分類

1	祭器
2	古玉・宝石
3	石弩・雷斧
4	古鏡・古鈴
5	銅器
6	古瓦
7	武器
8	古書画
9	古書籍・古経文
10	扁額
11	楽器
12	鐘鉦・碑銘・墨本
13	印章
14	文房諸具
15	農具
16	工匠器械
17	車輿
18	屋外諸具
19	布帛
20	衣服装飾
21	皮革
22	貨幣
23	諸金製造器
24	陶磁器
25	漆器
26	度量権衡
27	茶器・香具・花器
28	遊戯具
29	雛幟・偶人・児玩品
30	古仏像・仏具
31	化石

フェノロサの提案から初の全国調査へ

１８７３年（明治６）、ウィーン万国博覧会に明治政府が参加すると、出品物のうち精巧な工芸品などが大評判となりました。明治政府は、優れた古美術をまねた工芸品を輸出用に製造する殖産興業の観点から、美術品を格付けする制度も整えていきます。

１８７８年（明治11）、官立東京大学の政治学の教師として来日したアーネスト・フェノロサは日本の古美術を愛好し、調査・収集のかたわら、教え子の岡倉覚三（天心）らとともに古美術品の保護に力を注ぎました。

宮内省図書頭・九鬼隆一はフェノロサの提案を参考にして、１８８８年（明治21）、宮内省に設置された「臨時全国宝物取調局」による古美術品の全国調査を開始しました。九鬼自らが委員長となり、岡倉天心やフェノロサも係官を務めています。

　同年10月、最初の調査地となったのは滋賀県で、以後、１８９７年までの10年間続けられました。絵画・彫刻・美術工芸・書跡・古文書の五つの部門で、全国の21万５０００件余りの宝物が調査され、一等から八等までにランクづけされました。「優等」にあたる一〜三等に分類されたものは約１６００件、七等までの約１万５０００件は監査状が発行され、宝物参考簿に登録されています。

　なお、九鬼は、１８８９年（明治22）にできた帝国博物館の初代総長に就任しています。

本格的な文化財保護行政の始まり

　１８９５年（明治28）、日清戦争に勝利したことで、国民的自覚を高めた地方の有力者層が、古社寺の保存と宝物の流出防止を求める請願を帝国議会に提出するようになりました。

　この動きを受け、１８９７年（明治30）、「**古社寺保存法**」が制定されます。前年に内務省に設けられた古社寺保存会によって国宝（美術工芸品）や特別保護建造物が選定され、所有する社寺には修繕費が与えられると同時に、博物館への出陳が義務づけられました。同法の第５条では、国宝の売買や贈与を禁止しており、建造物の保存とあわせ、本格的な文化財保護行政の始まりとされています。

　同年12月の第１回認定では、国宝に「石山寺縁起紙本着色巻物（石山寺縁起絵巻）」や「十界図絹本着色板装（六道絵）」（P52参照）、「木造観音立像（向源寺・木造十一面観音立像）」など14件、特別保護建造物に西明寺本堂（P50参照）１件が認定されています。

　約20年後の１９１５年（大正４）の道府県別統計によると、国宝・特別保護建造物ともに京都

「古社寺保存法」における指定対象の分類(社寺保有に限定)

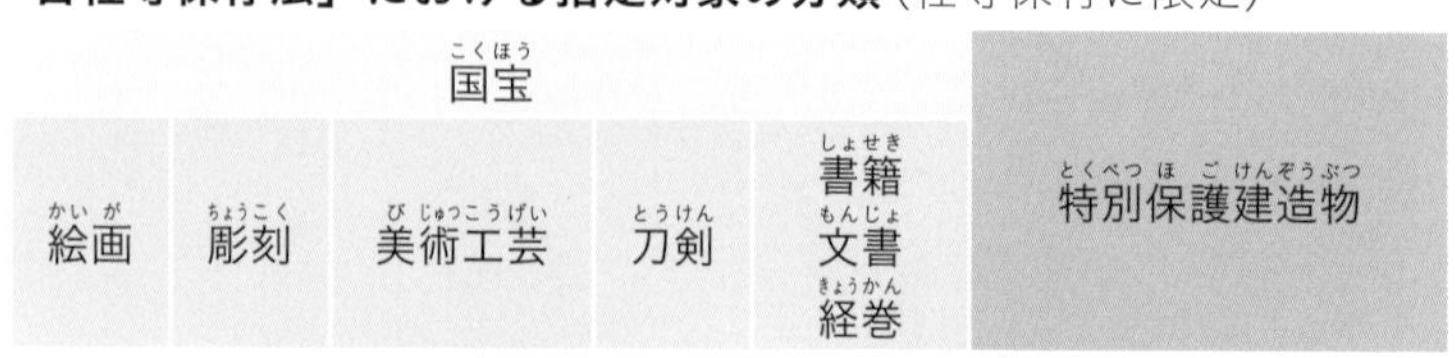

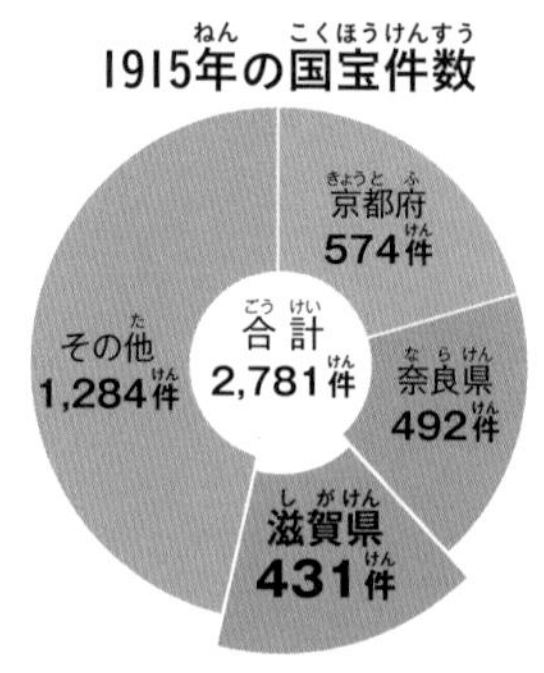

府・奈良県・滋賀県がトップ3でした。この時期の国宝・特別保護建造物は社寺所有の文化財に限られていたため、華族や資産家が所有する古美術品はふくまれず、東京府の選定数はわずかでした。

記念物が保護の対象に

大正時代には、道路や鉄道の開通、工場の進出にともなう史跡や名勝の破壊が問題となり、各地で「名勝を保全」する活動に取り組む保勝会が設立されます。1919年(大正8)、「**史蹟名勝天然紀念物保存法**」が制定されました。

この頃、滋賀県でも県庁に事務所を置く「滋賀県保勝会」ができました。県下の古墳や城跡、自然物などの調査が進められ、ウツクシマツ自生地(P92参照)などの天然紀念物(現在の天然記念物)指定につながりました。

「史蹟名勝天然紀念物保存法」における指定対象の分類

史蹟（史跡）	名勝	天然紀念物（天然記念物）
古墳、宮跡、城跡、歴史上の人物の墓など	山、滝、湖岸の浜、松林などの景勝地	鉱物、植物、動物など

「国宝保存法」における指定対象の分類

国宝							
宝物類							建造物
絵画	彫刻	文書	典籍	書跡	刀剣	工芸	

古社寺以外の所有物にも対象を拡大

昭和に入ると、城郭建築や華族（旧大名家）の所有物などにも、修理などの対応が必要なものが多いことがわかってきました。

1929年（昭和4）に制定された「**国宝保存法**」は、古社寺以外の個人、法人、自治体などが所有する古美術品にまで対象を広げ、輸出・移出を許可制にしました。これにともない、「古社寺保存法」は廃止され、同法の「国宝」と「特別保護建造物」という分類を、「宝物」と「建造物」の二つからなる「国宝」にまとめました。

しかし、指定までに時間がかかり、国内経済の悪化や円安の到来などによって、華族や資産家が所有していた未指定美術品の海外流出が続きました。1932年（昭和7）、旧小浜藩主酒井家が売りに出した『吉備大臣入唐絵巻』がアメリカのボストン美術館に買い取られた出来事をきっかけに、１９３３年（昭和８）、**「重要美術品等ノ保存ニ関スル法律」**が制定されました。「国宝保存法」の保護（指定）の対象外の美術品などで重要な価値があるもの（準国宝級）を文部大臣が「重要美術品」に認定し、輸出を許可制としたのです。

個人所有の美術品が加わったことによって、「国宝」の宝物類の数は一気に増加し、１９４０年（昭和15）の統計では、東京府が滋賀県を抜いています。

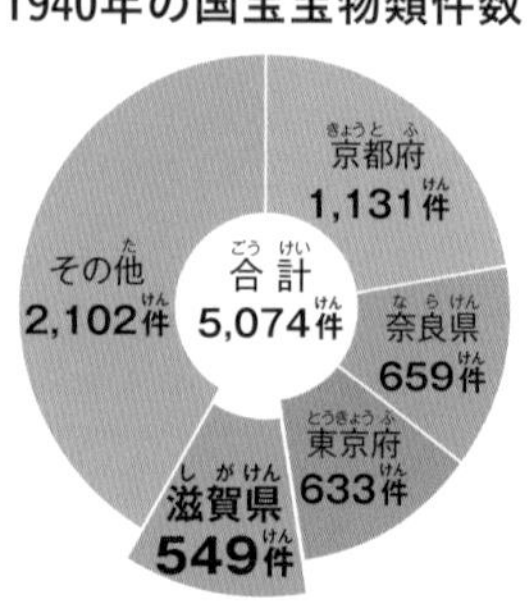

三つの法律を統合した「文化財保護法」

戦後となり、奈良・法隆寺金堂では、堂内の壁画の模写作業が、戦争による中断をはさんで再開されます。ところが、１９４９年（昭和24）１月、電気設備から出火して内陣が全焼、壁画も焼損するという事件が起こりました。

これをきっかけに、文化財に関する新しい立法の調整が進み、１９５０年（昭和25）、**「文化財保護法」**が制定されました。これまでの「国宝保存法」と「重要美術品ノ保存ニ関スル法律」、「史蹟名勝天然紀念物保存法」の三つを統合しただけでなく、伝統芸能や工芸技術などを「無形文化財」、地中に埋蔵されている状態の文化財を「埋蔵文化財」とする概念が加えられました。

さらに、重要文化財→国宝、史跡→特別史跡という２段階の指定制度になったことも新しい点で

無形文化財

演劇、音楽、工芸技術など、歴史上または芸術上価値の高いわざを体得した個人または集団を認定。

通称「人間国宝」

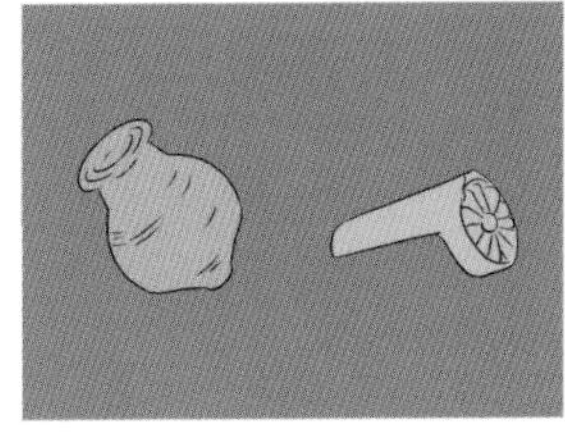

埋蔵文化財

土地に埋蔵されている文化財（主に遺跡といわれている場所）のこと。

1950年の「文化財保護法」における指定対象の分類

<table>
<tr><td rowspan="6">有形文化財</td><td colspan="2">建造物</td><td rowspan="6">重要文化財
※それまでの「国宝保存法」で国宝に指定されていたもの</td><td rowspan="6">特に価値の高いもの→</td><td rowspan="6">国宝</td></tr>
<tr><td rowspan="5">美術工芸品</td><td>絵画</td></tr>
<tr><td>彫刻</td></tr>
<tr><td>工芸品</td></tr>
<tr><td>書跡・典籍・古文書等</td></tr>
<tr><td>考古資料</td></tr>
<tr><td colspan="3">無形文化財</td><td>重要無形文化財</td><td></td><td></td></tr>
<tr><td rowspan="3">記念物</td><td colspan="2">遺跡</td><td>史跡</td><td rowspan="3">特に価値の高いもの→</td><td>特別史跡</td></tr>
<tr><td colspan="2">庭園・橋梁・峡谷・海浜・山岳等</td><td>名勝</td><td>特別名勝</td></tr>
<tr><td colspan="2">動物・植物・地質鉱物等</td><td>天然記念物</td><td>特別天然記念物</td></tr>
<tr><td colspan="3">埋蔵文化財</td><td></td><td></td><td></td></tr>
</table>

す。これまでの「国宝」を、いったんすべて「重要文化財」に位置づけ、そのうち特に価値の高いものを改めて「国宝」としました。そのため、「国宝保存法」の時代に「国宝」に指定されていたものを、「旧国宝」と呼ぶことがあります。

この法によって、初めて「文化財」という言葉ができました。

また、この法の施行を機に、地方自治体（都道府県・市町村）では文化財保護条例が制定されていきました。独自に文化財指定をおこない、保護の対象となる文化財は大きく拡大しました。

時代状況に合わせ進化する「文化財保護法」

その後、「文化財保護法」は時代状況に合わせた改正を加えられ、今日に至ります。

１９５０年代半ばからの高度経済成長期には、１９７５年（昭和50）の改正で、大きく三つの項目が加わりました。

- 民俗文化財として、年中行事などの風俗習慣を加え、「有形」「無形」の区別を立てた。
- 町並みなどを広域に保護する伝統的建造物群保存地区制度を創設した。
- 文化財の保存技術を保護する制度を創設した。

１９８０〜１９９０年代には、江戸時代から明治時代に建てられた住宅の建て替えが進行しました。１９９６年（平成８）の文化財保護法改正では、建造物の文化財登録制度が創設され、変更をおこなう場合は届け出が必要となりました。

さらに、２００４年（平成16）の文化財保護法改正では、建造物以外の有形文化財、有形民俗文化財、記念物も対象とする形に文化財登録制度が拡充されるとともに、文化的景観の保護制度が創設されました。

この段階で、現在の分類がそろいました。

その後、２０１５年（平成27）には、地域に残る複数の文化財を一つのテーマのもとに発信して地域活性化につなげることを目的に、日本遺産認定制度が創設されました。同年４月に日本遺産第一号として認定された18件は、滋賀県の「琵琶湖とその水辺景観―祈りと暮らしの水遺産」もふくみます。

そして、最近の動向として、２０１８年（平成30）の文化財保護法の改正では、文化財を地域の文化や経済の振興の核として、多くの人が参画して地域社会全体で確実に未来へ継承する方策を進めることとし、地域における文化財の総合的・計画的な保存活用を進めていくため、新たに県における文化財保存活用大綱、市町における文化財保存活用地域計画、文化財の所有者または管理団体による個別の文化財の保存活用計画の策定を促しています。

２０２０年（令和２）からは、新型コロナウイルスの感染拡大防止のために、祭礼行事の中止が相次ぎ、無形文化財の継承が十分におこなわれないおそれがある危機的状況となっています。２０２１年（令和３）の文化財保護法改正では、無形文化財・無形民俗文化財にも登録制度が新設されました。

2021年（令和３）３月31日時点、数字は件数

重要なもの

指定			件数	指定	特に価値の高いもの		件数
重要文化財	建造物		186	国宝	建造物		22
	美術工芸品	絵画	100		美術工芸品	絵画	4
		彫刻	379			彫刻	4
		工芸品	66			工芸品	4
		書跡・典籍・古文書等	77			書跡・典籍・古文書等	21
		考古資料	10			考古資料	1
		歴史資料	7			歴史資料	

重要なもの

指定	
重要無形文化財	

特に重要なもの

指定	件数
重要有形民俗文化財	1
重要無形民俗文化財	6

指定（重要なもの）	件数	指定（特に重要なもの）	件数
史跡	49	特別史跡	2
名勝	18	特別名勝	
天然記念物	14	特別天然記念物	1

特に重要なもの

選定	件数
重要文化的景観	7

特に価値の高いもの

選定	件数
重要伝統的建造物群保存地区	4

保存の措置を講ずる必要があるもの

選定	件数
選定保存技術	4

現在の文化財の分類と滋賀県内の国指定等文化財件数

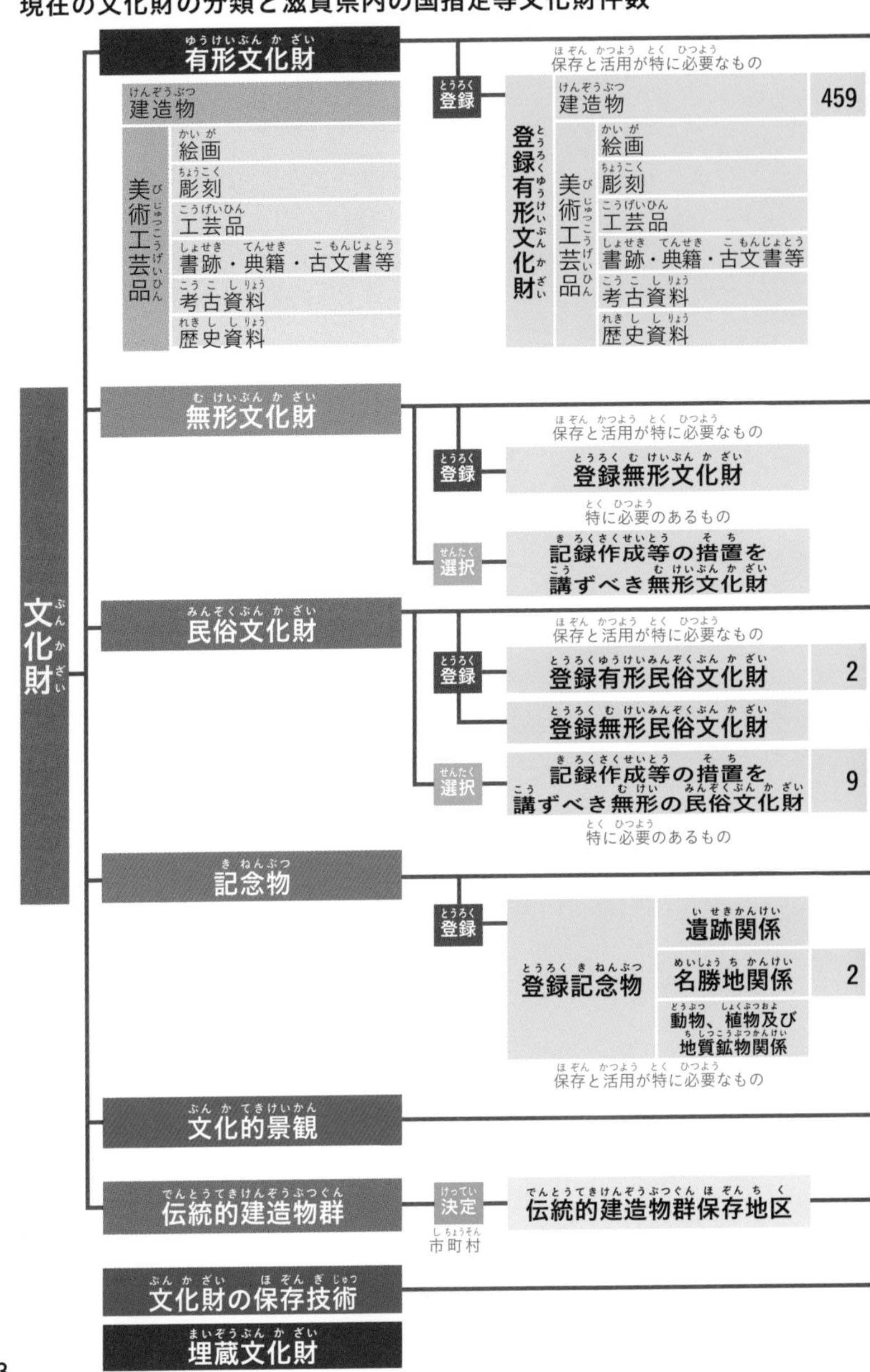

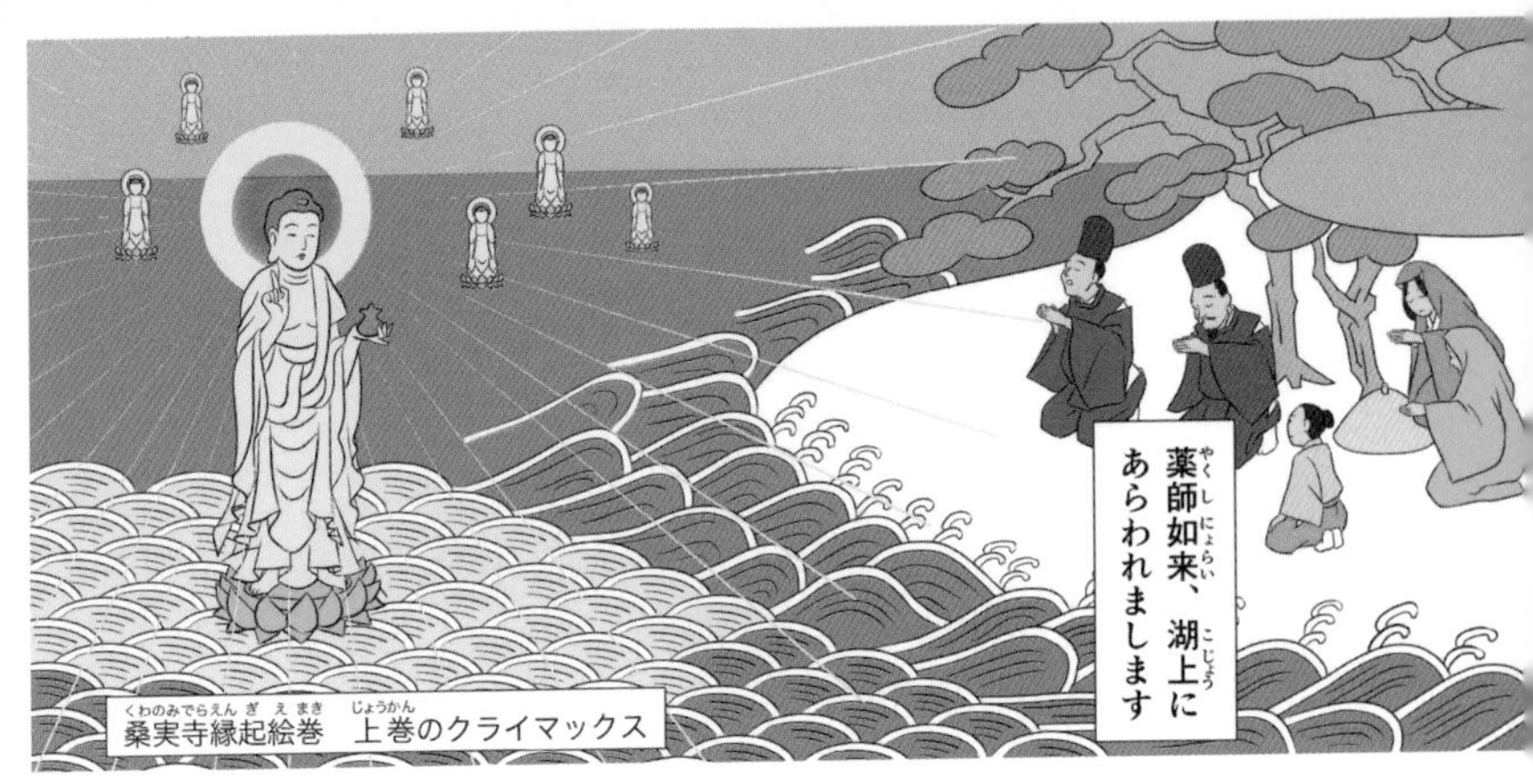

第2章

滋賀の文化財の話あれこれ

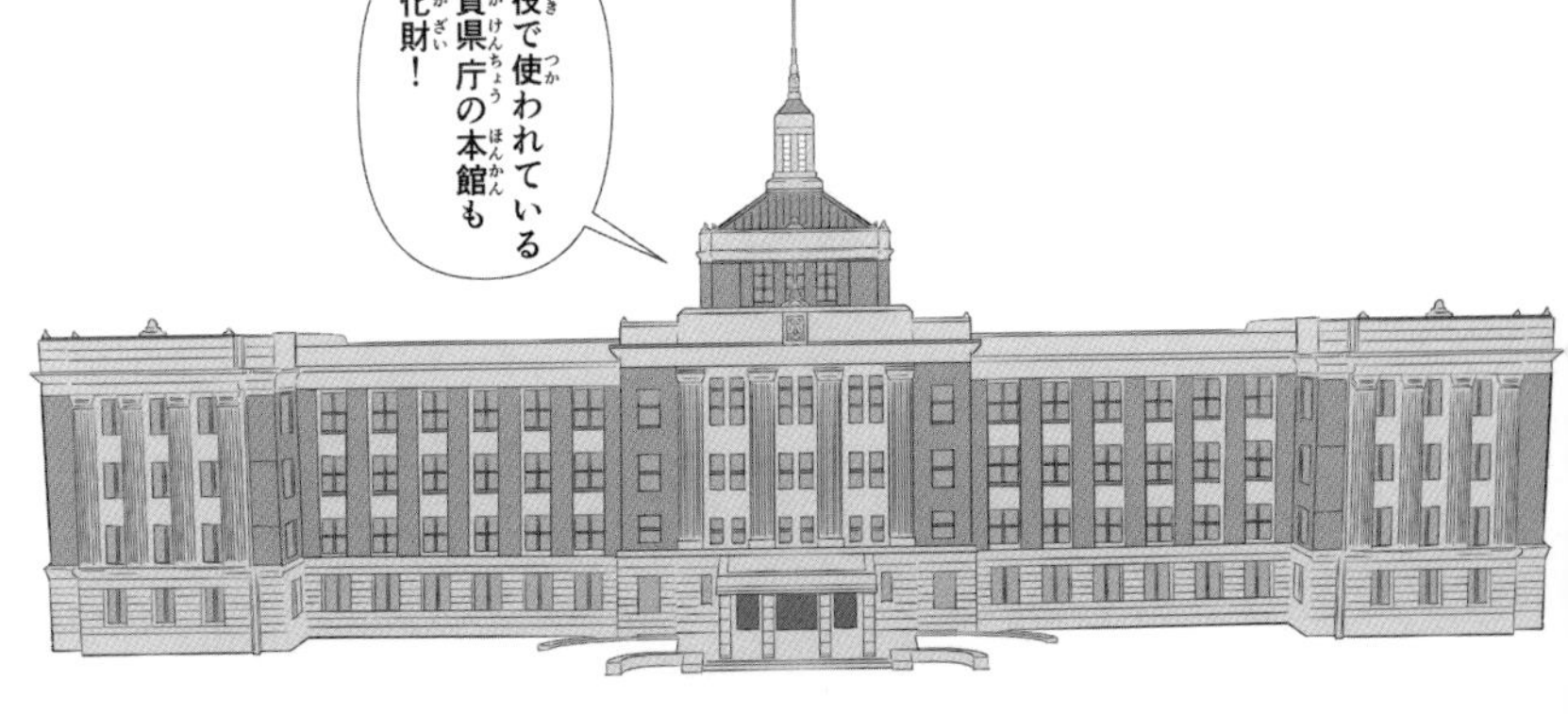

現役で使われている滋賀県庁の本館も文化財！

長浜市指定文化財

縄文土器　深鉢

有形〈考古資料〉

イサザ漁で見つかった謎の湖底遺跡

琵琶湖にだけすむハゼ科の小さな魚、イサザ（魦）は食用とされ、冬に漁船から下ろした長い網を巻き上げる底引き網漁で獲ります。1924年、尾上（長浜市）の漁師が引き上げた網の中に、土器が入っていました。その後も次々土器が引き上げられました。

1959年に本格的な調査がおこなわれ、土器類は葛籠尾崎沖の水深60～70mの湖底に分布していることがわかりました。これまでに引き上げられた数は200点以上、作られた時代は縄文時代から鎌倉時代にわたります。この葛籠尾崎湖底遺跡はどうやってできたのか？地震の地滑りで村が水没した、琵琶湖の上から沈めていたなど、多くの説があり、いまだ謎のままです。

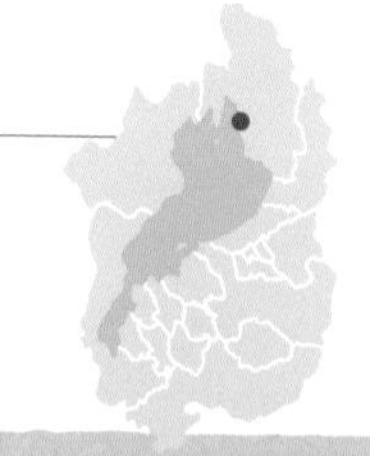

●所　蔵　葛籠尾崎湖底遺跡資料館保管
●所在地　長浜市湖北町尾上153-2
※資料館の見学は事前連絡要

昨日はいろいろあがったな
親父、半分はゴミやろ
また何千年も沈めとくわけにもいかんし

昭和40年代にイサザ漁の船や巻き上げ機の機械化が進むと、引き上げられる土器の数も増えていきました。1987年には尾上公民館の中に資料館が設けられ、見つかった土器などを地域の共有財産として守っていくようになりました。

資料館の保管品で、長浜市の指定文化財になっている縄文時代早期（約7000年前）の深鉢は、底がとがった形をしています。これが中期になると平らな底面で自立するようになります。土器以外には、弥生時代の環状石斧＊や平安時代の土師器の皿などもあります。

＊**環状石斧**　中央に穴をあけた円盤状の石器ですが、使い方はよくわかっていません。

重要文化財

突線袈裟襷文銅鐸

有形〈考古資料〉

東京で保護された日本最大の銅鐸

東京上野にある東京国立博物館平成館の考古展示室で展示されている日本最大（高さ134・7㎝）の銅鐸、突線袈裟襷文銅鐸*は、野洲市の大岩山で1881年（明治14）に発見された14個の銅鐸のうちの一つです。発見当時は文化財保護法もなく、「唐金古器物」の名称で管轄の草津警察署に留め置かれました。その2年後、農商務省所管の博物館**（現、東京国立博物館）が、この銅鐸と下部に2羽の水鳥が描かれた銅鐸（高さ74・1㎝、重要文化財）の2個を購入しました。

他の銅鐸も、国内の資料館や美術館などをはじめ、ケルン市立東アジア美術館（ドイツ）やサンフランシスコ・アジア美術館（アメリカ）など海外にも売られました。2個は行方不明です。

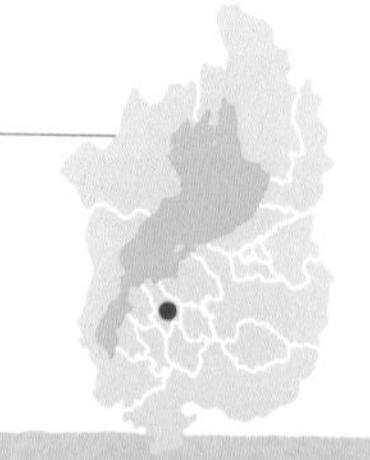

- ●所　蔵　東京国立博物館
- ●所在地　東京都台東区上野公園13-9
- ●出土地　野洲市小篠原字大岩山

1962年（昭和37）には、新幹線建設のための土砂採取中に明治の出土地点からわずか数十mの所で銅鐸10個が見つかりました。これらは、滋賀県が50万円の予算をつけて購入し、野洲市歴史民俗博物館（銅鐸博物館）と滋賀県立安土城考古博物館（近江八幡市）で保管されています。

2回に分けて大岩山遺跡から出土した合計24個の銅鐸は全国最多を誇っていましたが、現在は島根県の加茂岩倉遺跡の39個の銅鐸が最多記録となっています。

＊袈裟襷文　縦帯と横帯を交差させた文様が僧が着る袈裟に似ていることから。
＊＊博物館　1889年（明治22）に帝国博物館、1900年（明治33）に東京帝室博物館と改称。

未指定

下鈎遺跡出土小銅鐸

有形
〈考古資料〉

最大だけでなく、最小も滋賀県出土

弥生時代の中期後半から後期初頭にかけて環濠集落*が営まれた下鈎遺跡（栗東市）から見つかった銅鐸は、高さ3・4cmしかなく、日本でこれまでに発見された最小の銅鐸です。こうした銅鐸は、「小銅鐸」と呼んで一般の銅鐸とは区別され、銅鐸形のミニチュア品と考えられています。

大きな銅鐸は集落から離れた山などに埋められた状態で見つかる場合が多いのに対し、小銅鐸は集落遺跡の中の住居や溝で見つかることが多く、下鈎遺跡でも集落に掘られた溝の中から発見されました。

片面に2個ずつ（計4個）あいている穴は、銅を流し込む前に、鋳型の外型と内型をくっつけない支えとした「型持ち」を抜いたあとです。「型持ち穴」と呼ばれ、丸や正方形ですべての銅鐸にあります。

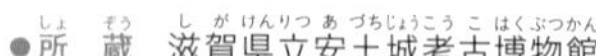

●所　蔵　滋賀県立安土城考古博物館
●所在地　近江八幡市安土町
●出土地　栗東市下鈎

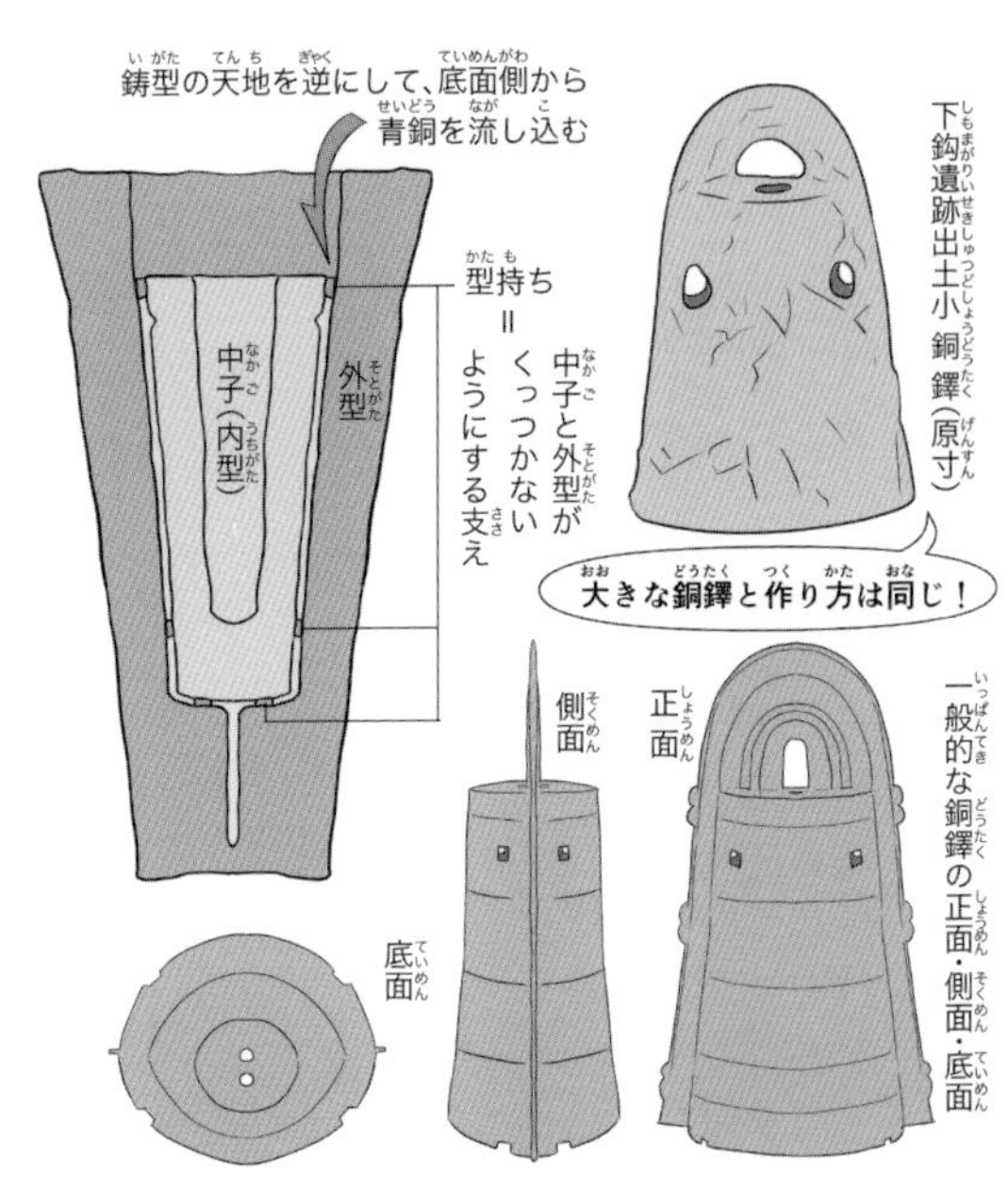

銅鐸は弥生時代に作られた釣鐘形の青銅器で、中国大陸に起源をもつ銅鈴が、朝鮮半島から日本へ伝わり独自に発達しました。内側に「舌」（振り子）をひもで吊るして鳴らした一種の楽器でしたが、やがて巨大化と装飾化が進み、「聞く銅鐸」から「見る銅鐸」へと変化したとされます。

こうした大型の銅鐸が出土しない関東や北陸でも、小銅鐸は出土例があります。弥生時代中・後期に環濠集落が広がるとともに各地で用いられたらしく、日常生活の中で音を響かせていたものとも考えられます。

＊**環濠集落**　敵からの攻撃を防ぐため、周囲に堀をめぐらせた集落のこと。

国指定史跡

雪野山古墳

記念物〈古墳〉

城跡の下には、古墳が埋まっているかも

標高308mの雪野山山頂にある雪野山古墳は、全長約70mの前方後円墳です。1989年からの発掘調査で、未盗掘の竪穴式石室から舟形木棺と副葬品が見つかりました。3世紀後半の古墳の葬送儀礼を復元できる例として、古墳全体が国の史跡に、三角縁神獣鏡3面をふくむ銅鏡5面、碧玉製石製品5点、銅鏃（鏃）96点、ガラス小玉2個、漆製品34点などの副葬品がまとめて重要文化財に指定されています。

この古墳の前方部には両側から削られている部分があり、室町時代、六角氏家臣で近くに館を置いていた後藤氏が古墳を手直しして城にしたと考えられています。石室の天井石は1枚を残して移され、石室内は砂で埋められていました。その時に丁寧に扱われ、保存につながりました。

●所　蔵　東近江市埋蔵文化財センター保管
●所在地　近江八幡市・東近江市・蒲生郡竜王町

※現在、古墳は埋め戻されているが、山頂まではハイキング道が整備されている。

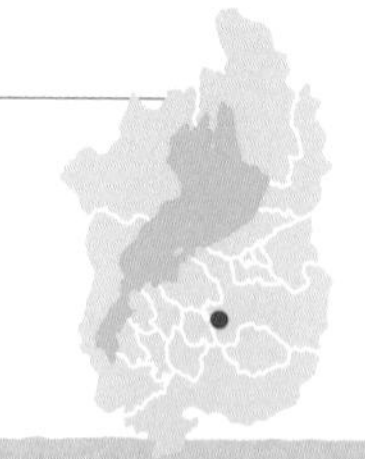

古墳時代

前方後円墳を城に作り直した例としては、他に彦根市の荒神山の山頂にある荒神山古墳があります。

また、壺笠山（大津市）や虎御前山（長浜市）は、戦国時代に山頂の古墳の形状を生かしながら、砦として使われました。

大阪府高槻市の今城塚城になった今城塚古墳の場合、平野部にある前方後円墳の堀をそのまま城の堀に利用しています。こういった例は全国にあります。

＊副葬品　死者とともに埋葬されるもの。
＊＊六角氏　鎌倉時代から戦国時代にかけての近江国守護。

国指定史跡

近江大津宮錦織遺跡

記念物〈都城跡〉

東アジアの混乱の中での大規模引っ越し

660年、倭国（日本）と同盟関係にあった百済が、新羅と唐に攻められて滅びました。＊3年後、中大兄皇子（後の天智天皇）は、百済を支援するため朝鮮半島へ兵を送りますが、白村江の戦いで敗れてしまいます。唐・新羅からの侵攻にそなえた中大兄皇子は、九州北部の太宰府に水城（全長約1㎞の土塁）＊＊などを築かせました。

そして、667年、都が飛鳥から近江大津宮へ移されました。その後、天智天皇が亡くなると、弟の大海人皇子と子の大友皇子の間で壬申の乱が起こり、大津宮はわずか5年あまりで廃されました。

長く大津宮の正確な位置はわからないままでしたが、1974年（昭和49）に大津市の住宅地工事で内裏南門の柱跡が見つかりました。

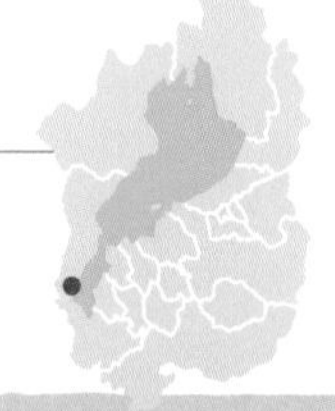

●所在地　大津市錦織一丁目・二丁目

※遺跡は複数か所で公園として整備されている。

670年、日本最初の全国規模の戸籍である庚午年籍が作成された年、天智天皇は蒲生郡「甕迮野」(現在の日野町あたり)に出向いて新宮の候補地を視察しましたが、翌年亡くなったため、近江でのさらなる遷都計画は実現しませんでした。

蒲生郡には、海を渡って逃れてきた百済の人々が多く移り住んでいました。

また、この辺りは、大海人皇子と額田王の贈答歌で有名な遊猟(薬狩り)の場でもあり、天智天皇としても、よく知った土地だったと考えられてます。

＊百済の滅亡　高句麗も668年に滅亡し、新羅が朝鮮半島を統一します。

＊＊土塁　盛土による土手状の防壁。

国宝

崇福寺塔心礎納置品

有形
〈考古資料〉

仏塔の下には、釈迦の骨が埋まっている!?

崇福寺（大津市滋賀里町）は、天智天皇が建立した寺院です。平安時代までは東大寺と並ぶ大寺院として栄えましたが、やがて廃寺となり、寺院跡は山中に埋もれてしまいました。昭和初期に大津宮跡を探る一環の発掘調査で、堂や塔の位置を示す礎石が見つかりました。

１９４０年の調査で、三重塔跡の地下１・２mにあった塔心礎*の南側面に掘られた小さな穴から見つかったのが、舎利容器*を中心とした納置品です。舎利容器は、金銅製の外箱、銀製の中箱、金製の内箱、金製のふたがついた瑠璃壺が入れ子式に納められ、壺の中に入っていたらしい水晶の舎利３粒もありました。釈迦の遺体は金・銀・銅・鉄の四重の棺に納められたと記す「大般涅槃経」に基づく遺品です。

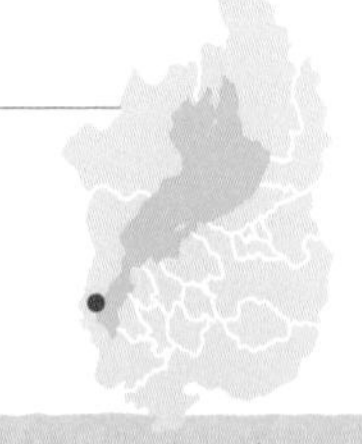

●所　蔵　近江神宮（京都国立博物館寄託）
●所在地　大津市神宮町1-1
※崇福寺跡は、ハイキング道が整備されている。

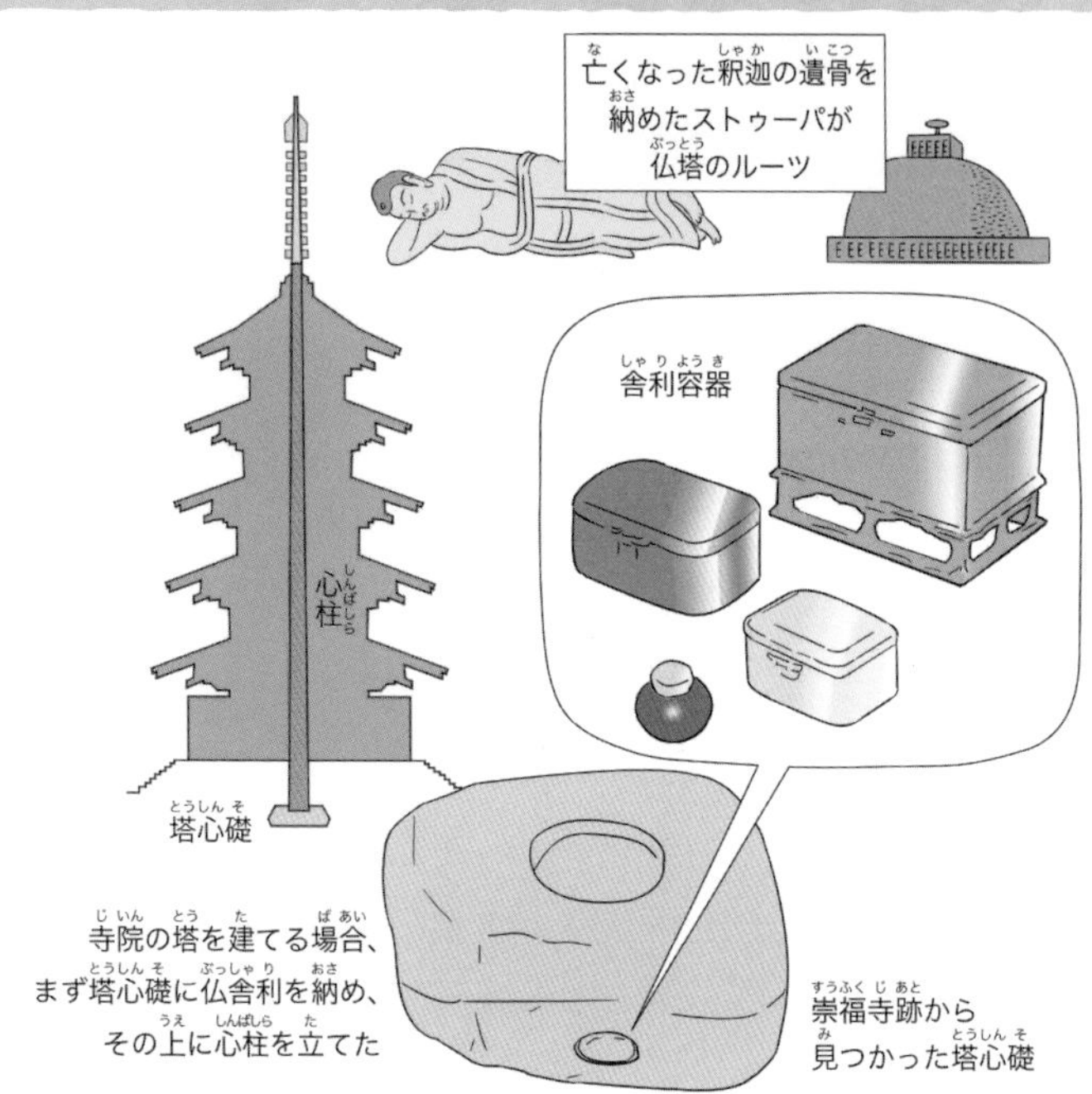

平安時代に比叡山の僧皇円が編んだ『扶桑略記』には、668年（天智天皇7）、崇福寺を建てるため地面を平らにしている時、「奇異なる宝鐸一口を掘り出す。高さ五尺五寸」という記事があります。これは、約165㎝の銅鐸が掘り出されたことを意味し、銅鐸出土の最古の記録で、134・7㎝の大岩山出土銅鐸より大きな銅鐸が見つかっていたことになります。

ただし、石山寺の創建にあたっても5尺の宝鐸（銅鐸）が掘り出されたと縁起にあり、めでたい兆しとして創作された可能性もあります。

＊**塔心礎**　三重塔や五重塔の心柱を受ける礎石。

＊＊**舎利**　仏や聖者の遺骨のこと。とくに釈迦の遺骨。水晶などをこれに見立てた。

重要文化財

石造三重塔（伝・阿育王塔）

有形〈建造物〉

外国にそっくりさん？日本最古の石造層塔

東近江市にある石塔寺の本堂横の石段を登りきった高台にそびえ立つ石造三重塔は、高さ7・6m、石造三重塔としては日本最大です（一番上の相輪は、補われた新しいもの）。花崗岩製で、近江大津宮から平城京の頃（7世紀後半～8世紀初め）に作られたものとされています。

この石塔は日本で似た形のものがなく、朝鮮半島の石塔にルーツを求める説があります。塔身と笠の比率などが最も近いのは、かつての百済の都、扶餘＊に近い場岩面長蝦里にある三重石塔です。二層塔身の穴に金銅製瓶（外壺）と銀製瓶（内壺）、真珠7粒などが納められており、その様式から12世紀の高麗＊時代に作られたと考えられています。

石塔寺の塔についても、平安時代の作とする説もあります。

●所　蔵　石塔寺

●所在地　東近江市石塔町860

※公開（見学可）

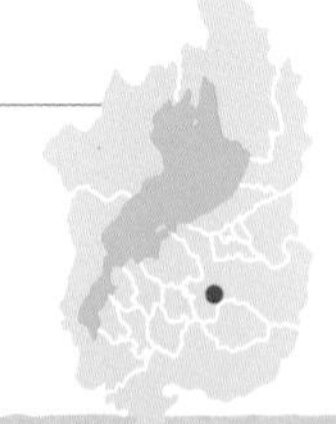

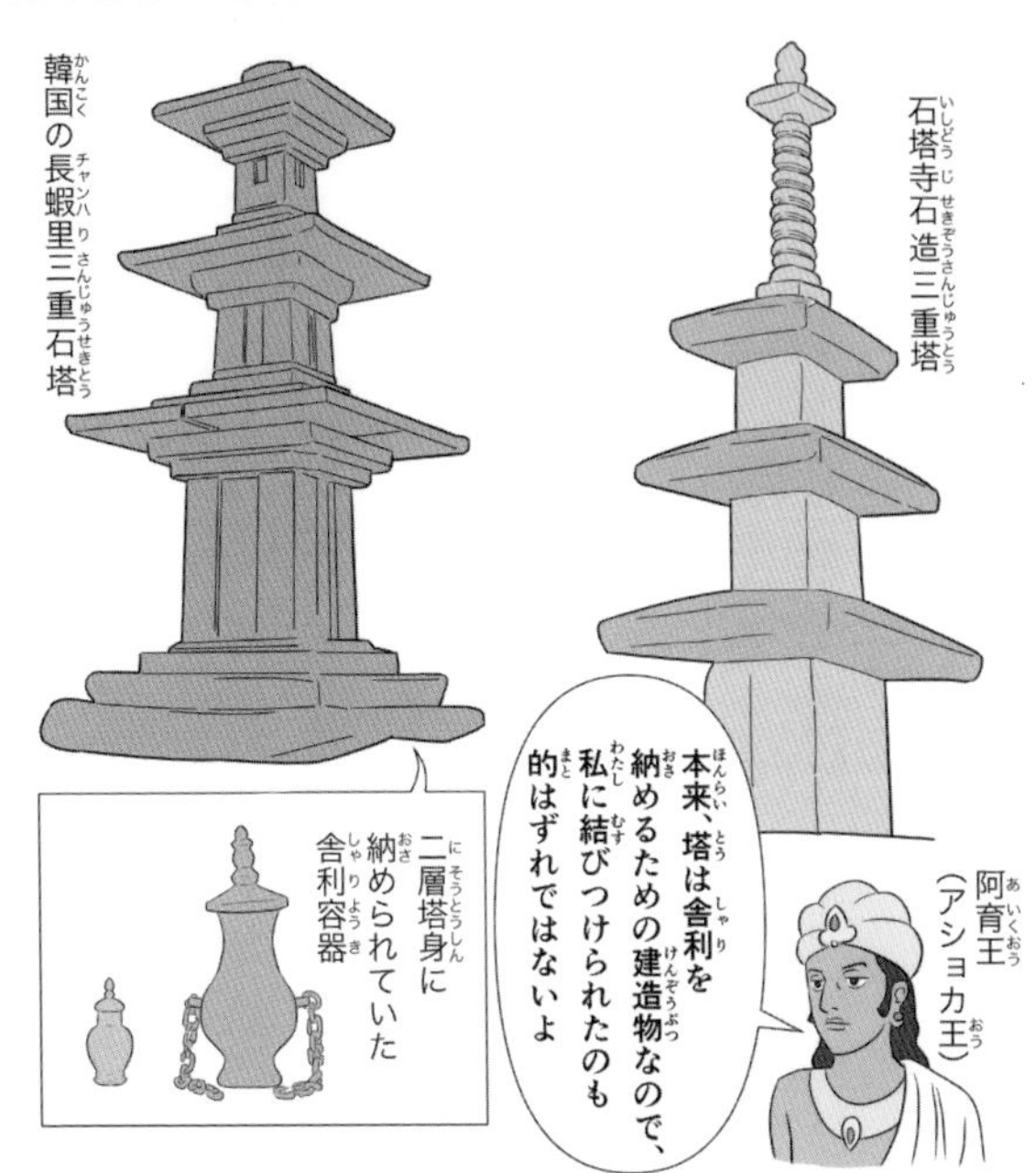

『日本書紀』には、665年（近江大津宮へ遷都の2年前）百済の男女400人余りを近江国神前（神崎）郡に住まわせた、669年に百済の男女700人余りを蒲生郡に移住させたという記録があります。石塔寺のある旧蒲生郡は、こうした渡来人と関わりの深い地域です。

石塔寺の三重塔は、別名を「阿育王塔」といいます。阿育王（アショカ王）は紀元前3世紀に実在した古代インドの王で、熱心な仏教徒となり、仏舎利を細かく分けて各地に仏塔を建立したと伝わります。石塔寺の塔も、その一つと考えられました。

＊扶餘　かつて百済最後の都・泗沘があった地。
＊＊高麗　936年、王建が朝鮮半島全土を統一して建国した国。都は開城。

国宝

大般若経（和銅経）

甲賀の禅寺に伝来した日本最古の大般若経

唐の時代に玄奘三蔵が西域から持ち帰った梵語*の経典を漢訳した「大般若波羅蜜多経」（通称「大般若経」）は、６００巻もある経典の集大成とされ、疫病や飢饉などの災いを除く祈禱に用いられました。

７１２年（和銅５）に長屋王**が、５年前に崩御した文武天皇の冥福を祈って書写させた「和銅経（長屋王経）」が、年号の書かれた日本最古の大般若経とされています。この和銅経が、甲賀市の太平寺に１42帖、常明寺に27帖、見性庵に43帖が伝わり、先の二つは国宝、もう一つは重要文化財に指定されています。

奈良時代から室町時代にかけてつくられた大般若経が、滋賀県内には１３０か所以上で見つかっています。

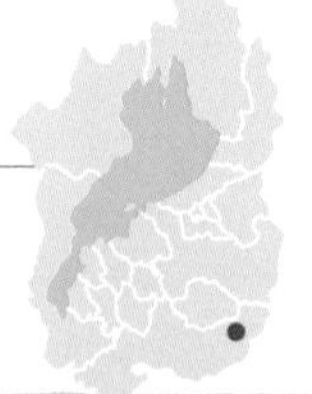

●所　蔵　太平寺／常明寺
●所在地　甲賀市土山町鮎河1593／南土山531

600巻、約480万字にもなる大般若経は、法要ですべてを唱えるには時間がかかりすぎるため、「真読」（経典の一言一句を読誦すること）から「転読」（数行を読んで経本を転回し、読誦したものとすること）という方法に移りました。あわせて、軸に紙を巻いた巻子本から、紙を同じ幅に折りたたんだ折本に改装されました。

平安時代になると、延暦寺などで大般若経の書写がおこなわれ、転読も盛んになりました。

鎌倉時代に、奈良の大寺院で版木を彫って印刷した大般若経も生まれ、さらに普及しました。

＊**梵語**　インドなどで用いられた古代の言語であるサンスクリット語の異称。
＊＊**長屋王**　天武天皇の孫。左大臣となるとが、藤原氏と対立し、自殺に追い込まれる。

国指定史跡

紫香楽宮跡

信楽が修学旅行の定番になっていたかも？

滋賀県の小学生の多くが修学旅行で訪れる奈良・東大寺の大仏（盧舎那仏）は、聖武天皇の願いで、745年に作り始められ、752年に完成しました。じつは、この2年前の743年、聖武天皇は近江国の紫香楽宮で「大仏を作ろう」という詔を発しています。体骨柱を建てる工事などと並行して、僧の行基たちによって、建造費にあてる金品の寄付などが呼びかけられました。

ところが、当時、紫香楽宮では地震や山火事など、不吉な出来事があいつぎ、大仏建立に反対する人もあったため、事業は中断してしまいました。都を平城京にもどして、再チャレンジで完成したのが奈良の大仏でした。

●所在地　甲賀市信楽町牧

※紫香楽宮跡関連遺跡群発掘調査事務所展示室で、出土品などを展示（土日祝休館）

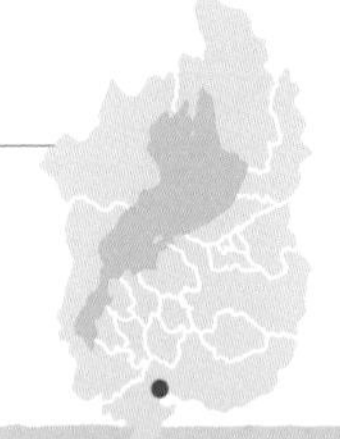

もしも、信楽に大仏がつくられていたら……
こちらが信楽の大仏でございま〜す
タヌキが人になれてる！

奈良時代

742年に最初は離宮**として造られた紫香楽宮ですが、745年には「新京」と呼ばれ、わずか4か月ほどの間ですが、正式な都となりました。

史跡に指定されている紫香楽宮跡にふくまれる甲賀寺跡は、東大寺に似た配置の寺院跡であることがわかっており、ここに「奈良の大仏」ならぬ「信楽の大仏」ができていたかもしれません。

東北約400mにある鍛冶屋敷遺跡からは、大仏の材料である銅を溶かす大規模な溶解炉などが見つかっています。

＊詔　天皇の命令。
＊＊離宮　皇居や王宮とは別に設けられた宮殿。

国指定史跡

狛坂磨崖仏

共通点がたくさん!! 山中の磨崖仏

金勝山のハイキングコースの途中、狛坂廃寺跡にある狛坂磨崖仏*は、高さ約6・2m、幅約6mの花崗岩に如来坐像と2体の菩薩像を彫った三尊像です。作風から奈良時代後期（8世紀後半）に作られたとする説が有力ですが、さらに1世紀さかのぼるとする説もあります。

韓国の慶州市にある南山七仏庵の阿弥陀三尊像が、大きさや配置が最も似ているとされています。統一新羅時代(8世紀前半)の作とされ、もともとは磨崖仏を囲む仏堂があった痕跡がある点も、軒丸瓦**の出土から狛坂寺の堂の中にあった可能性がある狛坂磨崖仏と共通します。

三尊の上にある小さな三尊仏2組と菩薩像3体は、後の時代に追加されたものです。栗東歴史民俗博物館に原寸のレプリカがあります。

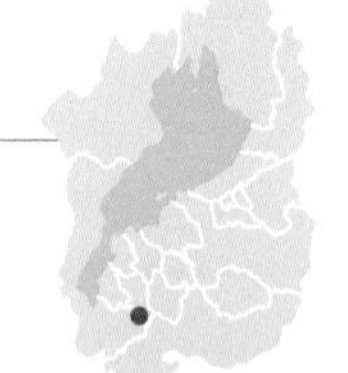

●所在地　栗東市荒張

※自由見学

狛坂寺は、室町時代に書かれたとされる縁起によると、嵯峨天皇の時代(9世紀初め)、蒲生郡の狛長者が持っていた金銅千手観音像を本尊として、近くの金勝寺の別院として創建したといいます。

「狛長者」については、蒲生野(東近江市中部)に仏堂を建てたり、農業用水を引いて開発を進めたとする伝説が残っています。狛=高麗(高句麗もしくは、10世紀に統一新羅を倒した高麗)の意から、朝鮮半島からの渡来人一族のリーダーと考えられています。

＊磨崖仏　自然の崖や巨石に仏像を彫刻したもの。
＊＊軒丸瓦　軒先に用いる丸瓦。文様から作られた時代が推定できる。

国宝

金銀鍍宝相華唐草文透彫華籠

英語ではフラワーバスケットですが、贈り物ではありません

華籠とは、仏像や堂塔の供養をおこなう法要で、僧侶が生花や散華（蓮の花びら形の紙）をまく儀式に用いられる道具です。

その中でも、長浜市の神照寺に伝わる華籠は、最も優れた細工が施された作品として国宝に指定されています。直径30cmほどの円形の銅板を打ち出し、宝相華唐草文*を透し彫りにしたのち、全面に鍍金（金メッキ）**が、部分的に鍍銀（銀メッキ）が施されています。3か所に丸い環がついており、散華の時には組紐を結んで垂らしました。

この華籠は、これまでに20枚が確認されており、そのうち16枚が神照寺に伝わりました。ハワイにあるホノルル美術館と福岡県の福岡市美術館もそれぞれ1枚所蔵しています。

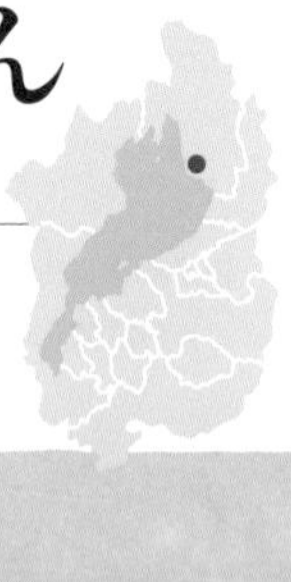

●所蔵　神照寺（滋賀県立琵琶湖文化館等寄託）

●所在地　長浜市新庄寺町323

神照寺の16枚は、細工が異なることから、平安時代後期（12世紀ごろ）に作られた5枚と、鎌倉時代から南北朝時代（13〜14世紀ごろ）に作られた11枚の、2種類に分けられます。古いものの方が蔓が細く、手書きの文様を精巧に再現した写実性の高い仕上がりで、新しいものの方が文様のデザインが簡略化されたものとなっています。

花をまく儀式は、インドで古くからある習慣がルーツで、現在もインドやタイでは生花をまきます。本来、華籠は竹を編んだもので、奈良の正倉院には竹製の華籠が伝わっています。

＊**宝相華唐草文**　中国の唐代にできた唐草文様のうち、空想上の花を組み合わせたもの。
＊＊**金メッキ**　金以外の金属の表面に、金の薄い膜を付着させること。

国宝

長寿寺本堂

有形〈建造物〉

そうだ、二つの建物を一体化すればいいんだ！

長寿寺は、奈良時代に聖武天皇の勅願で良弁＊が創建したと伝わり、約３km西にある常楽寺を「西寺」と呼ぶのに対して、「東寺」と呼ばれています。この２寺と善水寺をあわせて、湖南市にある３寺はいずれも国宝に指定されており、「湖南三山」と称されています。

鎌倉時代（12世紀末）の建築とされる長寿寺本堂は、「照り起り」と呼ぶ屋根の曲線が美しい檜皮葺で、とくに内部の構造が貴重だとされています。古代の寺院建築は、正堂（仏像を置く建物）と礼堂（人が参拝する建物）を別々に建てて並べた双堂が一般的でした。それが鎌倉時代になると、二つの建物の上に大きな屋根をかぶせて、一つの建物になります。長寿寺本堂の構造を見ると、その変化がよくわかります。

●所蔵　長寿寺
●所在地　湖南市東寺五丁目1-11
※公開（見学可）

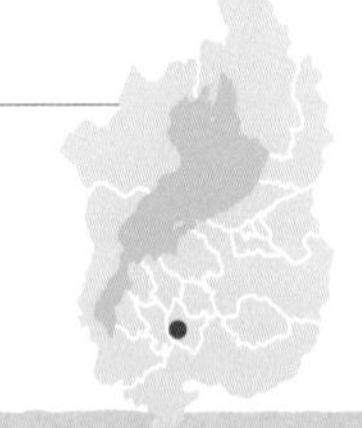

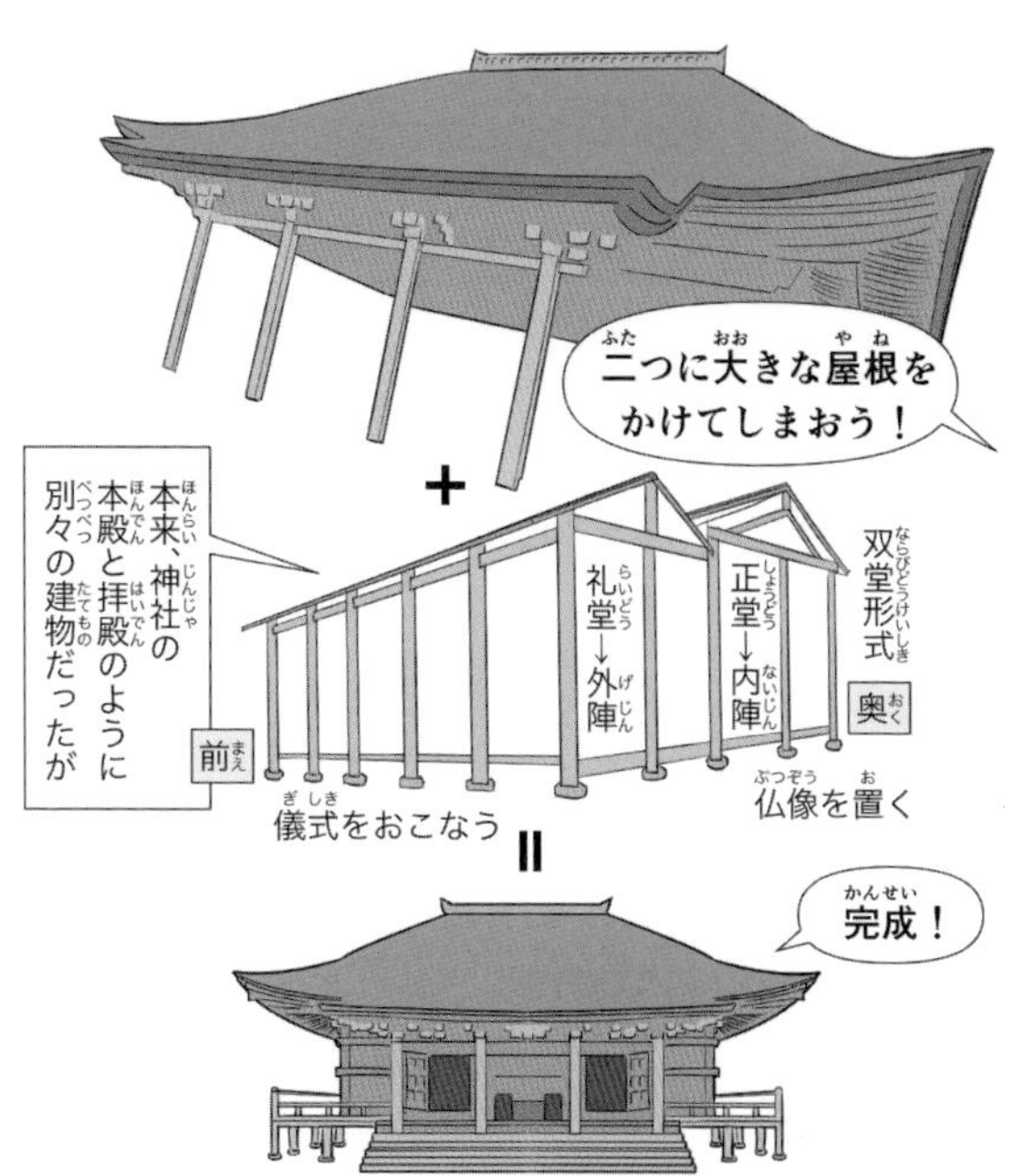

一つの建物となった本堂の内部は、正堂にあたる部分が「内陣」、礼堂にあたる部分が「外陣」と区分けされます。

長寿寺や常楽寺の場合、内陣と外陣の境は格子戸で仕切られていて、仏像などを見ることはできないようになっています。

境内には15世紀に建てられた三重塔がありましたが、織田信長が安土城の中に摠見寺を建てた際、その境内に移築され、現在は重要文化財に指定されています。信長は、安土城下の浄厳院にも建物や仏像を他の寺から移しており、仏教をなくそうとしたわけではないことがわかります。

＊良弁　奈良・東大寺の初代別当。石山寺（大津市）の開山にも関わる。
＊＊檜皮葺　ヒノキの木の皮を重ねて屋根を葺いた形式のこと。

国宝

西明寺本堂

有形〈建造物〉

大胆なリノベーション？拡張大改造しました

甲良町池寺にある西明寺の本堂は檜皮葺、入母屋造で、非常に調和のとれた姿をしており、1897年（明治30）に古社寺保存法（文化財保護法の前身）が制定された際、全国で最初に選ばれた建造物44棟のうちの1棟でもあります。

鎌倉時代前期（13世紀頃）に建てられた当初は正面が5間（柱が6本）の規模でしたが、南北朝時代（14世紀末）にその周囲に1間ずつ拡張する大改造がおこなわれ、7間の堂（柱が8本）になったことがわかっています。

蟇股*や柱などに、2種類の材質や形のものが混ざっていることから判明しました。天井裏には、当初の屋根の部材が残されています。

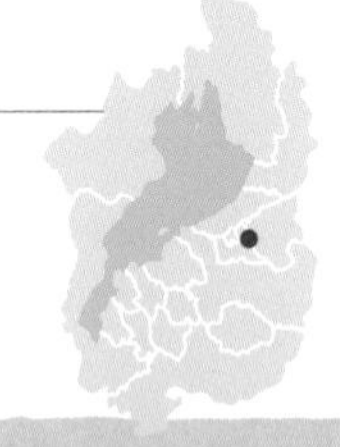

●所蔵　西明寺
●所在地　犬上郡甲良町池寺26
※公開（見学可）

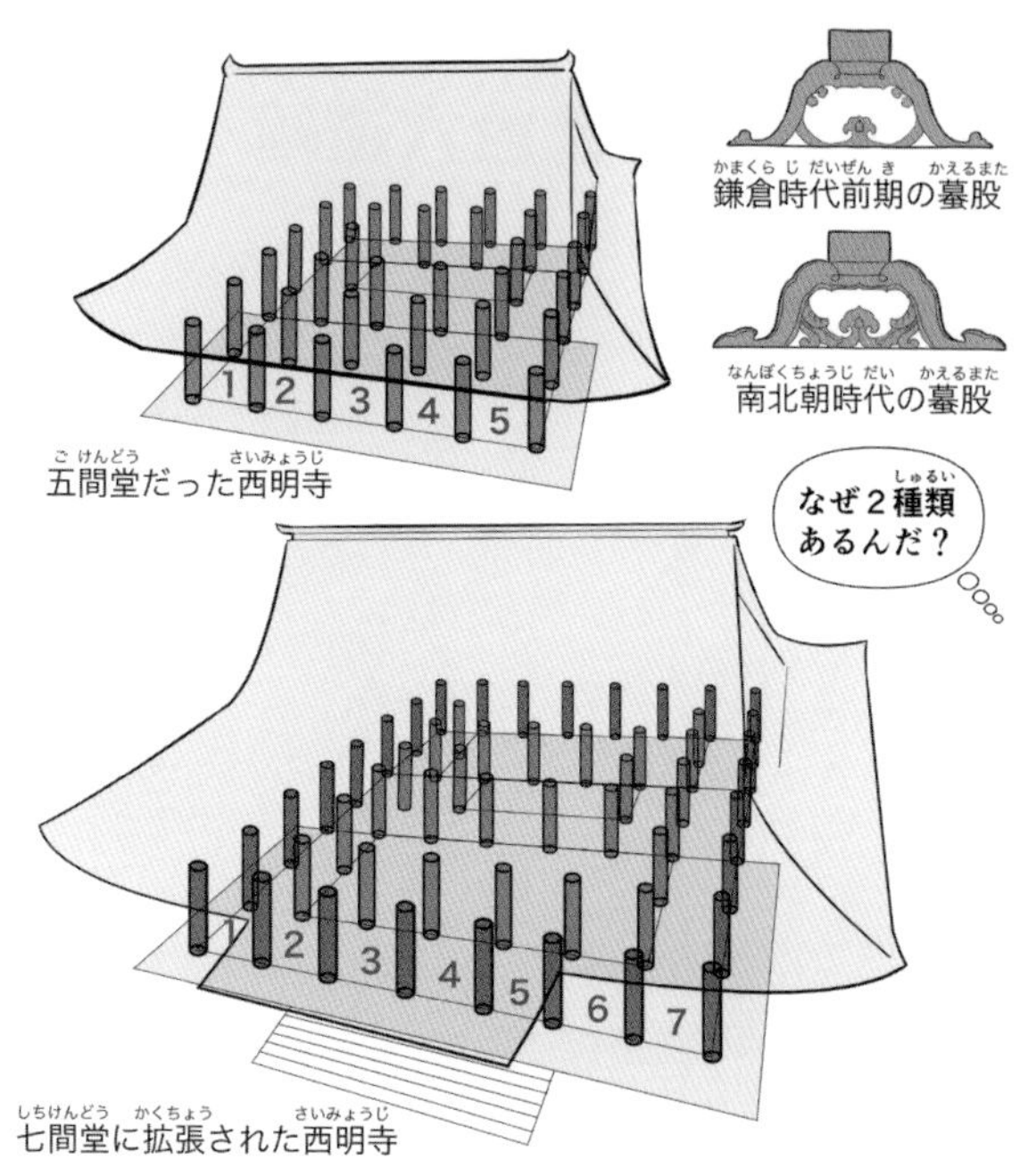

西明寺と金剛輪寺（愛荘町）、百済寺（東近江市）の三つの寺院は、琵琶湖の東側、鈴鹿山脈の山腹に南北に並んでおり、「湖東三山」と呼ばれています。いずれも、紅葉の名所として知られています。

滋賀県には、お寺に関係する「3」がたくさんあります。先にあげた「湖南三山」（P48）をはじめ、日本天台三総本山（比叡山延暦寺、園城寺〈三井寺〉、西教寺）、甲賀三大仏（大池寺、櫟野寺、十楽寺）、織三観音（観音正寺、石馬寺、善勝寺）など、地域の特徴ある寺院が三つにまとめて表されます。

＊**蟇股**　社寺建築で梁や桁の上に置かれる山形の部材。

国宝

絹本著色六道絵

有形〈絵画〉

毎年8月16日は、「地獄を見る日」

死んだ罪人が閻魔大王の裁きを受けて、さまざまな責め苦にあう地獄の光景は、誰の目にも強烈な印象を残します。そもそも地獄（地獄道）とは、仏教の教義に基づく六道の一つ（残りの五つは、餓鬼道・畜生道・阿修羅道・人道・天道）で、10世紀に天台宗の僧・源信が『往生要集』によって初めて具体的にそのようすを書き記しました。その内容を忠実に絵にしたのが聖衆来迎寺に伝わる「六道絵」です。

江戸時代になると、この「六道絵」を参考に、多くの「地獄絵」入りの本が出版され、誰もが知る地獄のイメージが定着しました。

毎年、8月16日の「虫干し会」の時に「六道絵」の模本が公開されており、地獄や人の世の苦しみの姿を間近で見ることができます。

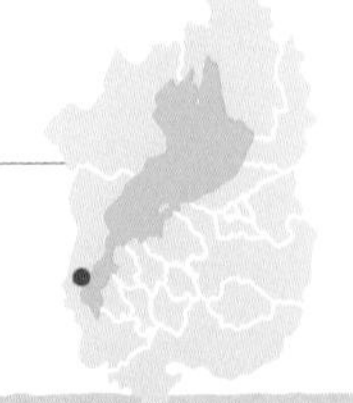

●所　蔵　聖衆来迎寺（滋賀県立琵琶湖文化館等寄託）
●所在地　大津市比叡辻二丁目4-17

源信が念仏道場として再興したと伝わる聖衆来迎寺は、比叡山の麓の琵琶湖の近くにあります。

1571年の織田信長による比叡山焼き討ちでは、境内に信長の家臣・森可成＊の墓があったため被害を受けませんでした。そのため、すぐれた建築物や仏像、美術工芸品が数多く残り、「近江の正倉院」＊＊とも呼ばれています。

また、現在の山門は明智光秀が築いた坂本城の門が移築されたものと伝わっています。

＊**森可成**　聖衆来迎寺の近くでおこなわれた浅井・朝倉軍との合戦で死亡。
＊＊**正倉院**　奈良・東大寺大仏殿の西北にある高床式倉庫。多数の美術工芸品を収蔵。

金銅聖観音坐像

有形〈彫刻〉

13世紀の日本で最も優れたブロンズ彫刻の一つ

金剛輪寺旧蔵の金銅聖観音坐像は、明治時代に海外へ渡った仏教美術の一つです。アメリカのボストン美術館のサイトに「Shō Kannon, the Bodhisattva of Compassion」の名前で見ることができ、「13世紀の日本で最も優れたブロンズ彫刻の一つ」と紹介されています。

台座にある銘によると、願主は犬上氏、芳縁が依智秦氏、仏師は西智で、1269年（文永6）に造られ、金剛輪寺（松尾寺）の本堂に安置されていました。明治時代にフェノロサとともに来日したウィリアム・ビゲロー*の手に渡り、ボストン美術館に収蔵されました。同じく台座の銘によると、聖観音の左右に、毘沙門天像と不動明王像が立っていたはずですが、現在は残念ながら行方不明です。

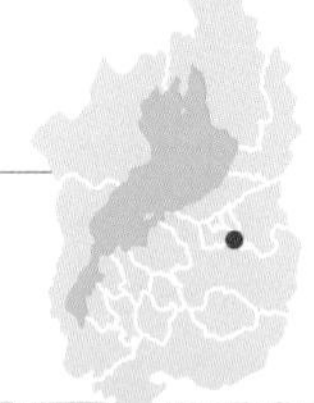

●所　蔵　ボストン美術館
●所在地　アメリカ合衆国マサチューセッツ州ボストン市

金剛輪寺近くの愛荘町立歴史文化博物館には、１９９４年（平成６）の開館（当時は秦荘町歴史文化資料館）にあわせて制作された複製が展示されています。通常のレプリカとは異なり、材料や鋳造方法が実物と同じになるよう忠実に再現されました。

岡倉天心＊＊が東洋部長として勤務したこともあるボストン美術館の日本美術コレクションは、国外のものとしては最高の質と量を誇ります。ウィリアム・ビゲローは、明治初期に来日すると園城寺（大津市）で仏門に入り、フェノロサとともに法明院に墓があります。

＊ウィリアム・ビゲロー　アメリカ合衆国の医師で日本美術の研究家、仏教研究者。
＊＊岡倉天心　美術評論家・思想家。本名は覚三。日本美術院を創立し、明治日本画の指導者として活躍。英文著書による日本文化の紹介者としても知られる。

国宝

御上神社本殿／大笹原神社本殿

有形〈建造物〉

入母屋造の屋根で、お寺みたいな神社

野洲市には、国宝の神社本殿*が二つあります。一つは野洲市三上の御上神社本殿、もう一つは、野洲市大篠原にある大笹原神社本殿です。二つとも後に紹介する苗村神社西本殿と同じく正面が3間の檜皮葺ですが、屋根の形は苗村神社が流造であることに対し、野洲市の2社は入母屋造という左右にも庇が伸びた形をしています。

御上神社本殿は鎌倉時代後半に建てられ、その前にある構造や規模がよく似た拝殿**（重要文化財）の方が様式的には古く、元の本殿だという言い伝えもあります。

大笹原神社本殿は、御上神社より100年余りのちの室町時代前半（1414年）に建ち、背が高く屋根の傾斜はきつくなっています。

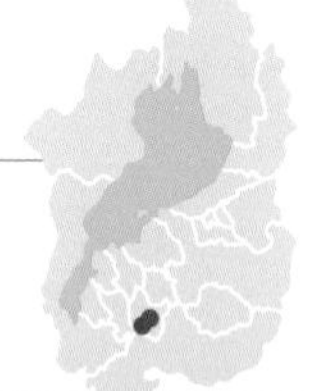

●所在地　野洲市三上838／野洲市大篠原2375
※境内自由

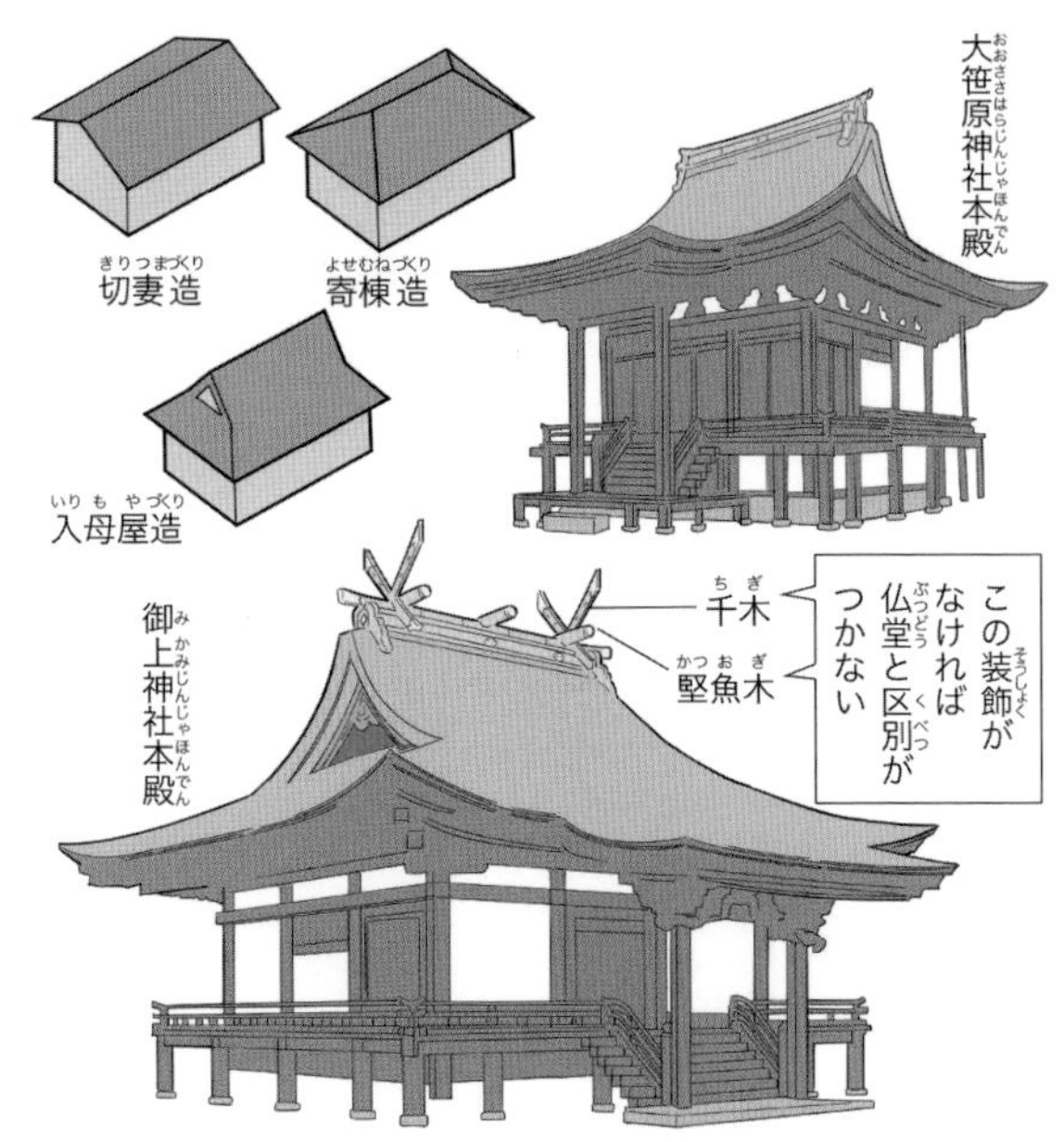

御上神社は、「近江富士」とも呼ばれる三上山（標高432m）の麓にあります。神が宿る神体山として古代から信仰の対象となり、麓に設けられた祭場が発展したものと考えられます。

奈良時代の仏教説話集『日本霊異記』には、三上山の社の近くにある堂で修行していた奈良・大安寺の僧が体験する不思議な出来事が記され、神仏習合の地でもありました。

三上山の山麓には戦国時代まで東光寺という大寺院があったとされ、修理銘にその寺の僧の名が記された両界曼荼羅図が御上神社に伝わっています。

＊**本殿**　神社で、祭神を安置する建物。古くは正殿・宝殿ともいった。

＊＊**拝殿**　神社で、本殿の前に設けられた礼拝をおこなうための建物。

国宝

苗村神社西本殿

重要文化財の社殿に囲まれた国宝本殿

竜王町にある苗村神社は、ほぼ竜王町全域と近江八幡市・東近江市の一部にあたる33か村の総社です。県道をはさんで東にある東本殿は重要文化財で、境内には古墳時代の円墳15基が残っています。西側は広く、境内入口の楼門、神輿庫、拝殿が重要文化財、西本殿が国宝で、その左右に建つ八幡社本殿、十禅師社本殿も重要文化財です。

１３０８年（徳治３）建立の西本殿は、正面から見て柱間*が三つ、横から見ると前方の屋根が流れるように伸びているので、三間社流造といいます。鎌倉時代の近江の国は、地域の自治・自立が進み、その表れとして、各地の惣村**内に神社が作られ、そこでおこなわれる行事とともに、今も大切に守り伝えられています。

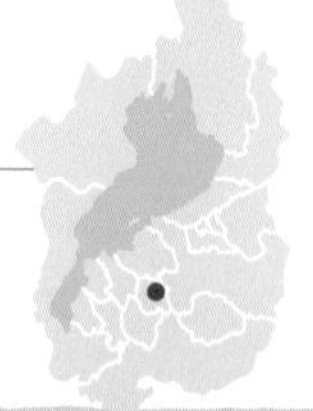

●所在地　蒲生郡竜王町綾戸467

※境内自由

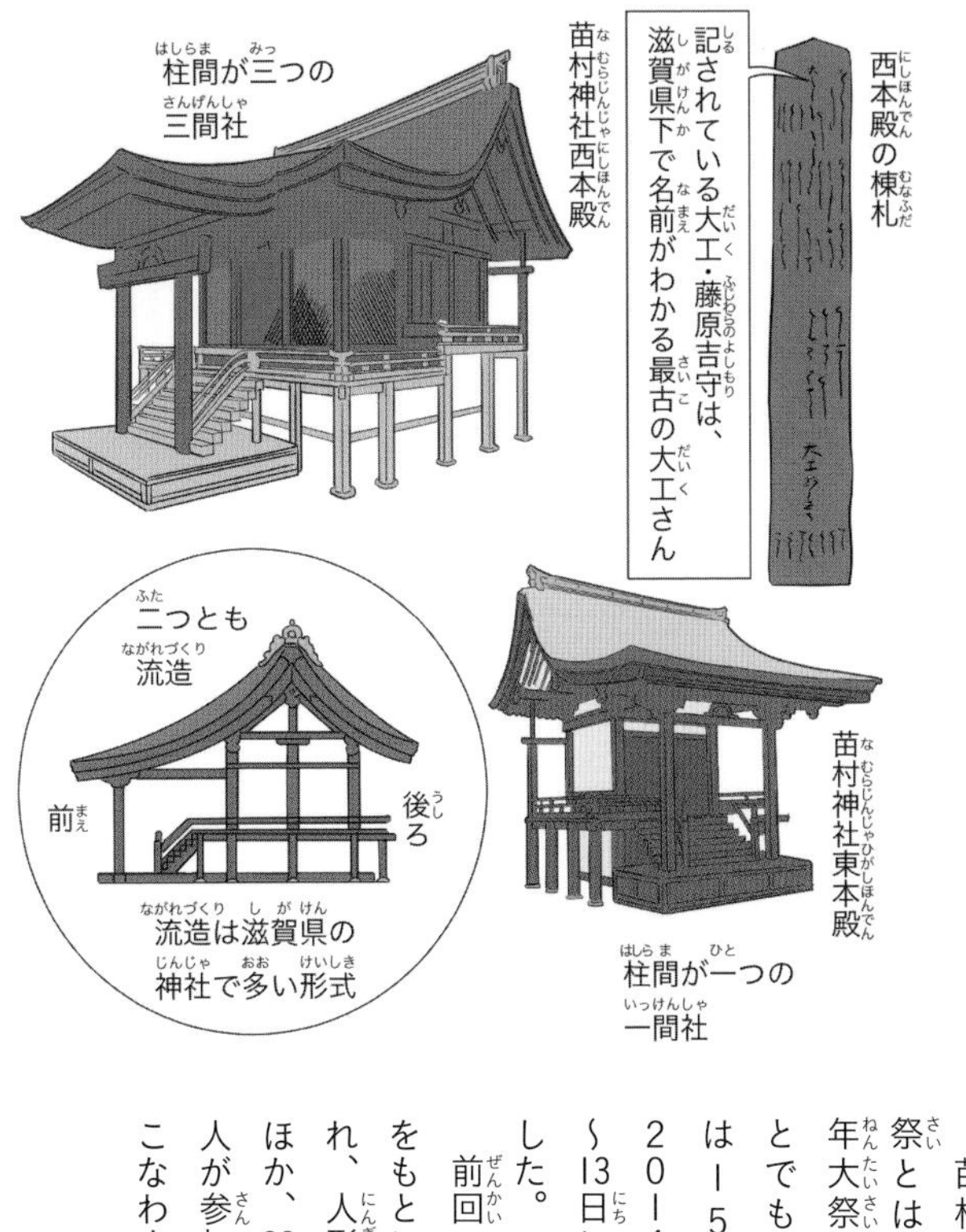

苗村神社は、4月20日の例祭とは別に、33年に一度「式年大祭」という祭りがあることでも知られています。初回は1599年で、最近では2014年（平成26）の10月11〜13日に14回目がおこなわれました。

前回（1982年）の設計図をもとに新たに山車や鉾が作られ、人形芝居などが奉納されたほか、33か村から総勢1200人が参加した渡御行列などがおこなわれました。

＊**柱間**　柱と柱の間。柱が2本で1間、3本で2間、4本で3間となる。
＊＊**惣村**　中世日本における農民の自治的な地縁共同組織。

滋賀県指定文化財

木造聖徳太子立像（聖徳太子二歳像）

有形〈彫刻〉

思ったのと違う。聖徳太子は子どもの姿

現在、聖徳太子と聞いて思い浮かべる姿は、旧一万円札にある肖像画の、笏を両手に持ち、鼻の下と顎に髭をたくわえたものです。この姿は、宮内庁蔵の「伝聖徳太子像」＊をもとにしています。

ところが、こうした成人後（摂政の地位）の太子像は数が少なく、2歳の時に東を向いて手を合わせ「南無仏」と唱えたとされる姿（南無仏太子像）、16歳の夏に病に伏した父・用明天皇の快復を柄香炉を手に祈る姿（孝養太子像）の方が木像や掛軸として数多く製作され、一般的な聖徳太子のイメージはこちらでした。

大津市の国分聖徳太子会が所有する二歳像は、1321年に法眼宗円という僧によって作られたもので、目には玉眼＊＊がはめられています。

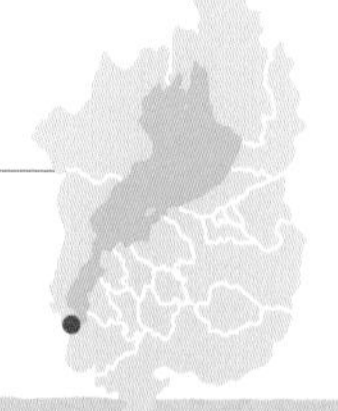

●所　蔵　財団法人国分聖徳太子会
●所在地　大津市国分二丁目

聖徳太子（厩戸王）は、現代のように政治改革をおこなった人物としてよりも、日本に仏教を広めて苦しみから人々を救う「観音菩薩の化身」として信仰の対象になりました。

滋賀県には、大津市の西教寺、近江八幡市の長命寺・長光寺・願成就寺、東近江市の百済寺・瓦屋寺・石馬寺・観音正寺など、聖徳太子の創建とする縁起や太子にまつわる伝説を持っている寺院が多くあります。

浄土真宗の宗祖親鸞も聖徳太子を「和国の救主」と考えたことから、真宗寺院でも孝養太子像の掛軸が広まりました。

＊**伝聖徳太子像**　「唐本御影」「聖徳太子二王子像」とも称される。
＊＊**玉眼**　仏像などの目に水晶などをはめ込む技法。

重要文化財

寂室元光墨蹟〈遺偈／貞治六年九月一日〉

有形〈書跡〉

弟子たちに告ぐ。「一同解散！」

遺偈とは、死を前にした禅僧が漢詩の形式で書き残した遺言にあたります。東近江市にある臨済宗の禅宗寺院、永源寺の開山、寂室元光は、1367年（貞治6）9月1日、78歳で亡くなりました。その遺偈は、手の震えから線が波打ち、まさに臨終の間際に書かれた文字であることが見てとれます。

屋後青山／檻前流水／鶴林双趺／熊耳隻履／又是空華／結空子

九月初一日　亡僧　元光（花押）

これに先立って書かれた遺戒（死後に残す戒め）には、六角氏頼から寄進された土地を返し、一同ここを引き払い、俗世間との交わりを断って精進せよと書かれています。

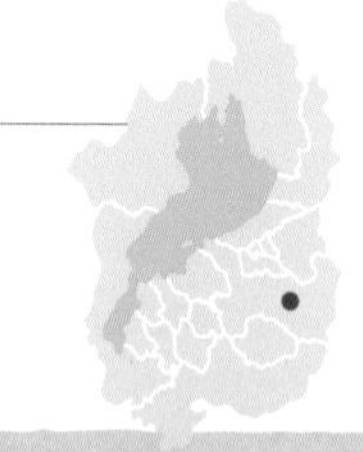

●所　蔵　永源寺（栗東歴史民俗博物館寄託）

●所在地　東近江市永源寺高野町41

※永源寺は公開（見学可）

寂室元光は美作国（岡山県）に生まれ、鎌倉の禅宗寺院で修行後、31歳で中国（元の時代）に渡って高僧に師事しました。

帰国後は、五山の官寺*に何度も招かれますが、これを断り続け、備前や美作の寺院を20年以上にもわたって渡り歩きました。

71歳で桑実寺（近江八幡市）に身を寄せていた時、近江国守護の六角氏頼に請われて、永源寺の開山となりました。元光の徳を慕って修行に来る者が2000人に達したといいます。

死後、十三回忌に作られた塑造**寂室和尚坐像（永源寺蔵）も重要文化財です。

*五山の官寺　鎌倉幕府が保護した禅宗寺院。

**塑像　木枠に荒縄などを巻いたものを芯にして、粘土などを用いて造った像。

国宝

菅浦文書・菅浦与大浦下庄堺絵図

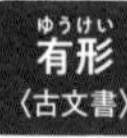

村人が残した記録が国の宝に！

菅浦文書は、鎌倉時代から江戸時代にわたる1281通の文書で、関連する絵図1点とともに、2018年（平成30）、滋賀県内では52年ぶりに国宝に指定されました。

滋賀県は、鎌倉・南北朝・室町時代の村の記録がまとまって残る地として知られ、東近江市今堀町の「今堀日吉神社文書」、近江八幡市北津田町の「大島奥津島神社文書」も重要文化財に指定されています。

琵琶湖北岸から突き出した葛籠尾崎の西岸にある菅浦は、鎌倉時代に天皇家へコイや麦などを納める供御人*となり、集落の東西南北に四足門を立て、村掟を整えて自治をおこなっていました。当時から続く集落の構造が残されているこの地は、重要文化的景観に選定されています。

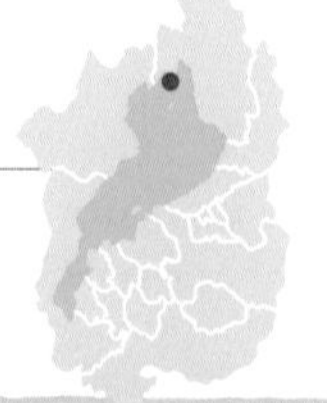

●所蔵　須賀神社（滋賀大学経済学部附属史料館寄託）
●所在地　長浜市西浅井町菅浦439

菅浦文書の大部分を占めるのは、隣の大浦との間にあった2か所の田地をめぐる、鎌倉から室町時代まで200年近くにわたった争いに関するものです。

大浦の荘園領主が園城寺の円満院だったため、菅浦は延暦寺に裁判費用を借りるとともに味方につけ、膠着状態となります。

150年近く経って、両村の間で合戦が起こり、室町幕府による裁判で菅浦は勝訴します。ところが、その15年後、多数の死者を出す衝突が起こり、二度目の裁判で菅浦は敗れ、大浦と幕府軍に包囲されるという危機に見まわれました。

＊**供御人**　平安時代から室町時代にかけて、朝廷に属し、天皇の飲食物を貢納していた人々。のち、通行・交易の特権や販売独占権を与えられる者も出た。

国指定史跡

敏満寺石仏谷墓跡

記念物〈墓跡〉

約1600の石仏・石塔が残る巨大墓所

中世の大寺院敏満寺遺跡は、名神高速道路の多賀サービスエリア予定地にて発掘調査されました。敏満寺石仏谷墓跡はその南側に位置します。青龍山の西側斜面に平らな土地を何段か設けた南北60m、東西50mほどの墓跡です。地上に現れている石仏や石塔だけで1700以上もあります。

この地は、12世紀末頃に墓地となり、16世紀後半まで使われ続けたようです。梵字を刻んだ五輪塔＊や蔵骨器（火葬した骨を入れた甕や壺）は寺の主要人物の墓と考えられますが、最も大量に残る一石五輪塔＊や小さな石仏については、15世紀末以降の比較的新しい時期のもので、兵火による大量の死者を葬ったのではないかとする説もあります。

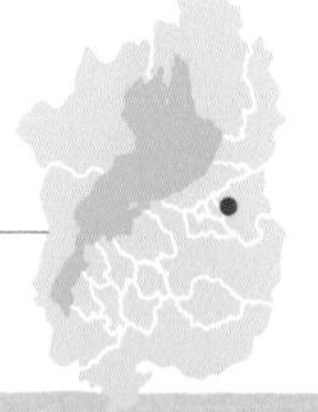

●所在地　犬上郡多賀町敏満寺

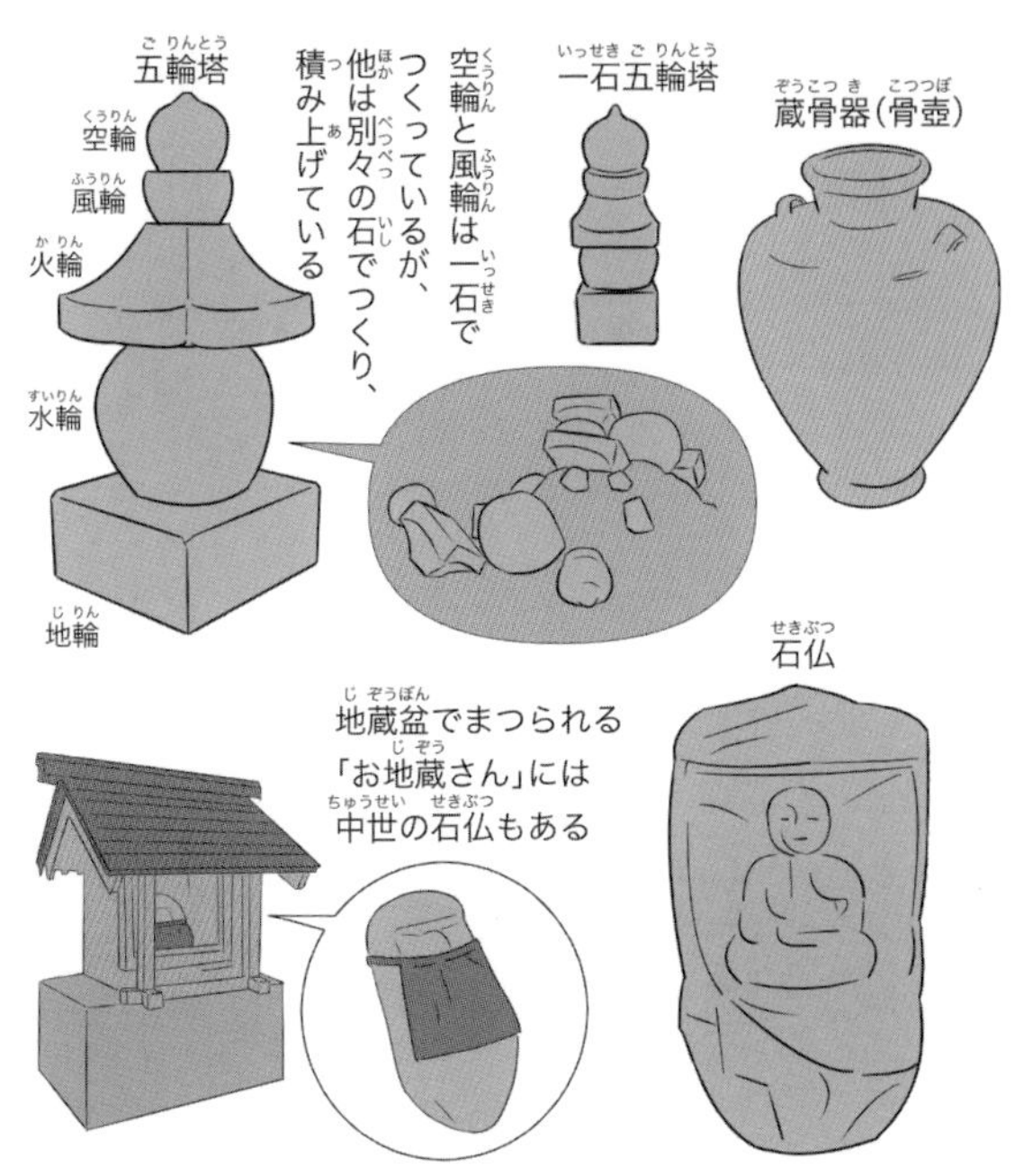

多賀町の大字名にもなっている敏満寺は、平安時代の創建とされます。

戦国時代になると、京極氏にそむいて六角氏と通じた久徳実時に味方したために、浅井長政によって坊舎が焼かれて衰退していきました。

ところで、埋蔵文化財が埋まっている地に道路や建物が建設され、遺跡が壊される場合には、発掘調査をおこない、記録を保存することとなりますが、新名神高速道路の工事の際には、紫香楽宮の関連遺跡が見つかり、遺跡を守るために当初の工法が変更されました。

＊**五輪塔**　地・水・火・風・空の五大をそれぞれ方形・円形・三角形・半月形・宝珠形にかたどった石を積み上げた塔で、供養塔や墓標とされた。

＊＊**一石五輪塔**　一つの石に掘り出した簡易な五輪塔。高さ50～70㎝。

旧秀隣寺庭園

記念物〈庭園〉

朽木の仮住まいに作られた足利義晴の庭

興聖寺の旧秀隣寺庭園は、「足利庭園」とも呼ばれます。この庭の西側には、室町幕府第12代将軍足利義晴が暮らした岩神館がありました。

1528年、京の争いで身の危険を感じた義晴は、奉公衆*の一人、朽木稙綱を頼って移りました。稙綱は自分の住まいだった岩神館を義晴に提供し、近くには多くの公家や側近も移住してきました。

2年半の義晴滞在中に作られたとされる庭園は、幕府の管領**細川高国が作庭した北畠氏館跡庭園（三重県津市）と似ていることから、義晴とともに朽木に移り住んでいた高国の作と考えられています。

鶴石や亀石、石橋を配した石組の池があり、それを館の座敷に座って眺める「池泉観賞式庭園」です。

●所在地　高島市朽木岩瀬374

※公開（見学可）

義晴は、朽木の次に六角定頼の観音寺城に近い桑実寺へ移り、ここで3年暮らします。その後も近江と京を転々としながら、穴太（大津市）で亡くなりました。じつは義晴は水茎岡山城（近江八幡市）で生まれており、滋賀県にとても縁の深い将軍です。

さて、現在の庭園の名前は、江戸時代初め、岩神館跡に秀隣寺という寺院を建てたことに由来します。さらに江戸時代中期、この地に朽木氏の菩提寺・興聖寺が移転されました。

＊**奉公衆**　室町幕府に整備された幕府官職の一つ。将軍直属の軍事力で、5ヶ番に編成されたことから番衆、番方などと呼ばれた。

＊＊**管領**　室町幕府の職名。将軍を補佐して政務を取り仕切った。

重要文化財

桑実寺縁起絵巻

有形〈絵画〉

近江国に幕府を置いた室町将軍足利義晴

室町幕府の第12代将軍足利義晴は、1532年、細川氏の内紛から京を逃れて近江国の繖山（観音寺山）にある桑実寺に避難し、仮の幕府を置きました。この地で義晴の発願によって制作されたのが「桑実寺縁起絵巻」です。絵師は、義晴の肖像画も描いた土佐光茂、詞書（絵巻の物語の内容を伝える文章）は後奈良天皇、その弟の青蓮院宮尊鎮法親王、当代随一の知識人として知られた三条西実隆が分担しました。

天智天皇の「志賀の都」（大津宮）で、病気になった四女の阿閇皇女が琵琶湖に光がさす夢を見たので、僧定恵が法要をおこなうと、琵琶湖から薬師如来が現れ、皇女の病は治ります。薬師如来は桑実山（繖山）に降り立ち、その地に桑実寺が建立されたというあらすじです。

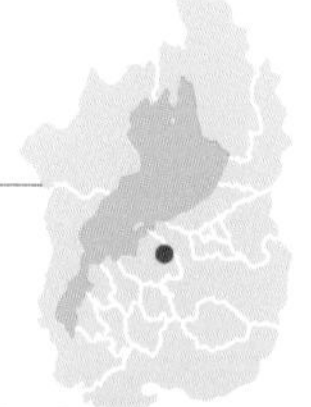

●所　蔵　桑実寺（京都国立博物館寄託）
●所在地　近江八幡市安土町桑実寺

室町時代

義晴以外にも室町幕府の将軍は、滋賀に縁があります。応仁の乱以降、京の都が荒れていたために、9代義尚、11代義澄、12代義晴、13代義輝、そして最後の足利将軍15代義昭は、近江に身を寄せた時期があります。

義尚は、近江にある寺社や公家の荘園を武力で奪っていた近江守護六角高頼を討つために、鈎(栗東市)に出陣しました。ここで、幕府の官僚(奉行人)も引き連れて政治をおこなっていましたが、陣中でわずか25歳で病没したため、その期間は1年半ほどでした。

＊阿閇皇女　のちの元明天皇。710年、藤原京から平安京に遷都した。
＊＊定恵　飛鳥時代の僧。藤原鎌足の子で、藤原不比等の兄にあたる。

国指定史跡

観音寺城跡

記念物〈城跡〉

石垣のノウハウはお坊さんに聞け！

湖東平野にある標高432mの繖山一帯に多くの曲輪*が並んでいる観音寺城は、近江国の守護だった佐々木六角氏の城で、中世の城としては全国最大の規模を誇ります。同時代の城の中では、多くの石垣が築かれている点も特徴です。

1556年、六角氏が城を総石垣に改築した際には、愛荘町にある金剛輪寺の西座衆と呼ばれる技術者集団が指導したことを示す記録が残っています。「下倉米銭下用帳」という帳簿で、石垣に関する六角氏側との打ち合わせで振る舞われた酒の量が細かく記されています。

もともと観音寺城のある繖山には、観音正寺という山寺があり、戦乱を避けて麓に移転したのち、六角氏が城として整備したとされます。

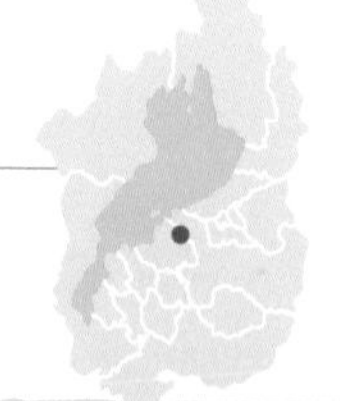

●所在地　近江八幡市安土町石寺

※ハイキング道が整備されています。

奈良時代、近江の各地に創建された寺院は、山の上に平らな土地をひらいて仏堂を建て、斜面に連なる坊舎には、建築などの知識をもつ技術者集団が暮らしていました。

室町時代になると、廃された り麓の集落に移転した寺が増えていきました。伊吹山麓に佐々木京極氏が築いた上平寺城は、上平寺という寺院跡を改修して、館を置いたものです。

高島郡の饗庭野丘陵にあった清水山城も、もともとあった清水寺が15世紀後半には衰退したため、この地を支配した佐々木越中氏が館を置きました。

＊**曲輪**　城や砦の、人工的に削平された平坦地。
＊＊**観音正寺**　現在の観音正寺は、江戸時代に再び山寺として復興したもの。

長浜市指定文化財

弁才天坐像(河路浜惣兵衛奉納)

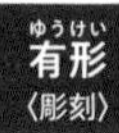

思ってたのと違う。弁才天の姿は武闘派

七福神の一人、弁才天*は楽器の琵琶を手にした姿で表されますが、竹生島の宝厳寺の本尊として祀られてきた弁才天は、8本の腕(八臂)に宝剣、矢、宝珠、輪宝などを持つ姿です。さらに頭には白ヘビの体に老人の頭の宇賀神**がとぐろを巻き、その前に鳥居が立っています。

毎年おこなわれる蓮華会では、浅井郡内から選ばれた頭人(信者代表)が、弁才天坐像を奉納してきました。長浜市指定文化財の像は現存最古のもので、1557年6月に河路浜(長浜市南浜町・大浜町)の惣兵衛が納めたものです。その9年後の1566年には浅井亮政の側室で久政の母にあたる寿松が、前年の久政に続いて頭人を務め(記録上、女性では唯一)、奉納した弁才天坐像も残っています。

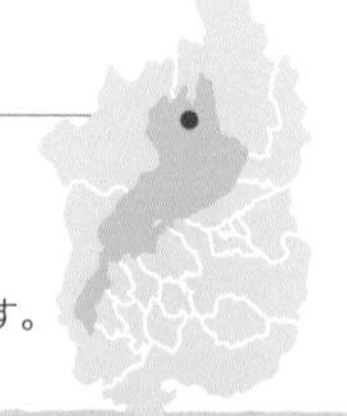

●所　蔵　宝厳寺
●所在地　長浜市早崎町(竹生島)
※宝厳寺の宝物殿では、奉納された弁才天坐像も公開しています。

「竹生島文書」（重要文化財）には、浅井氏三代（亮政・久政・長政）と竹生島宝厳寺の深い関係を示す文書が多くふくまれています。亮政と正室・蔵屋の娘・鶴千代は、婿に入った夫・明政の武運長久と家門繁盛を祈って、田地を弁才天に寄進しました。

長政の三女のお江（崇源院）は江戸幕府2代将軍徳川秀忠の正室となってからも竹生島弁才天への信仰を持ち続けました。徳川家の「三葉葵紋」つきの品を寄付したとされ、それにならって江戸城の大奥が寄進した戸張などが伝わっています。

＊弁才天　古代インドの川の神サラスバティー（Sarasvati）が仏教に取り入れられた神。
＊＊宇賀神　富をもたらす神、同時に水神ともされ、竹生島の弁才天と結びついたらしい。

特別史跡

安土城跡

記念物〈城跡〉

知名度は抜群だけど、本当の姿がわからない城

近江八幡市の安土山に築かれた安土城は、安土・桃山時代という、一つの時代の名称となっています。また、土の城が主流だった戦国時代の城から、瓦葺の高層の天守（安土城では天主）*を中心に石垣で囲われた近世城郭の出発点として、最も有名な日本の城の一つです。

1579年に完成した豪華絢爛な安土城は、キリスト教宣教師によりヨーロッパにも知られましたが、わずか3年後に本能寺の変を起こした明智光秀と羽柴秀吉の戦いによる混乱の中で焼け落ちました。

信長は安土城を描いた屛風を作らせており、天正遣欧使節**がローマ法王に献上し、ヴァチカン宮殿に展示されたといいます。これが唯一、築城当時の姿を伝えるものとされますが、現在は行方がわかっていません。

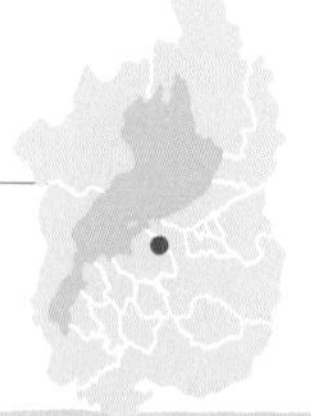

●所在地　近江八幡市安土町下豊浦・東近江市南須田町
※公開（見学可）

みんなが安土城天主跡を見学するときは一つだけ覚えておいてほしい
このくらいの大きさだからな！
ここに立つとこのぐらいの小さい天主を想像するかもしれんが…
ここは、地下1階じゃ
現在の地表面
天主1階面（推定）

ドラマやゲームでも安土城が描かれますが、じつは合っているかどうかわからない想像の姿です。

江戸時代初期になってから信長の家臣だった太田牛一がまとめた信長の一代記である「信長公記」によると、外観が5層、内部は地上6階、地下1階、高さ50mを超える天主だったとされます。

現地で見ることのできる礎石が並んだ天主台跡は地階（穴蔵）にあたる地面で、周囲の一段高くなった石垣の上をふくめた一回り広い範囲が、1階の地面にあたります。

＊天主　現在は「天守」の表記が一般的だが、信長時代の記録ではすべて「天主」。
＊＊天正遣欧使節　1582年に九州のキリシタン大名が送り出した4名の少年使節。

国宝

宝厳寺唐門

有形〈建造物〉

竹生島に移築された大坂城天守北側の門

2020年（令和2）4月、檜皮屋根の全面葺き替え、彩色・漆塗りの塗り直し、飾り金具の補修が完了し、竹生島にある、桃山文化を代表する建築、宝厳寺唐門*が極彩色の姿に蘇りました。

宝厳寺観音堂（重要文化財）につながる唐門は、もとは豊臣秀吉が築いた大坂城の天守北側に、堀をへだてた本丸への通路として架けられた「極楽橋」の一部だったと言われます。この橋は、1600年に京都・東山にある豊国廟に移築され、その2年後、豊臣秀頼**によって再興されていた宝厳寺に、徳川家康による寄進の形で移築されました。

1615年に江戸幕府と豊臣家が争った大坂夏の陣で大坂城は焼け落ちたため、宝厳寺唐門は、唯一残された城の遺構とされます。

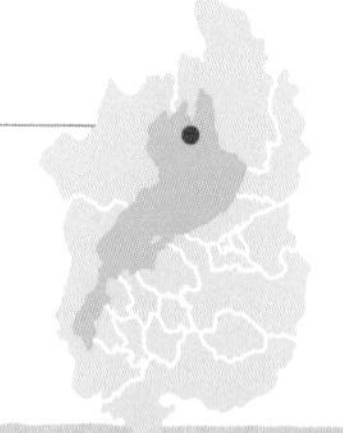

●所蔵　宝厳寺
●所在地　長浜市早崎町（竹生島）
※公開（見学可）

豊臣秀吉と竹生島のつながりは、織田信長の家臣だった木下秀吉の時代に始まります。1570年、姉川の合戦があった翌月、秀吉が竹生島に宛てた文書で、湖北の統治者が浅井氏から織田氏へ変わることを予告しました。3年後、小谷城が落城すると、浅井長政が宝厳寺復興のために集めておいた材木を引き渡せと宝厳寺に命じ、長浜城建築に使ってしまいました。

「竹生島文書」(3-2通、重要文化財)には、羽柴姓となった秀吉が家臣たちと竹生島に金品を寄付した「竹生島奉加帳」などもふくまれています。

＊**唐門**　屋根が唐破風造りになっている門。
＊＊**豊臣秀頼**　着工時10歳のため、実際に進めたのは母で浅井長政の娘にあたる淀殿。

国指定史跡

永原御殿跡及び伊庭御殿跡

記念物〈城跡〉

徳川三代が上洛に使った宿泊所・休憩所

江戸時代、将軍専用として街道沿いに作られた宿泊所や休憩所を「御殿」もしくは「御茶屋」といいます。誕生したばかりの徳川幕府は、将軍職就任を朝廷から受けるために上洛する（京都へ行く）必要がありました。近江国内のルートには、家康が関ヶ原の合戦後の上洛で通った縁起のよい道（のちの朝鮮人街道）＊が選ばれ、宿泊所として永原御殿（野洲市）が、休憩所として伊庭御殿（東近江市）が作られます。

永原御殿は、堀を巡らせた本丸、二の丸、三の丸からなり、記録が確かなものに限っても、家康が6回、秀忠が4回、家光が2回泊まっています。伊庭御殿は、近江出身の小堀政一（遠州）が作事奉行＊＊を担当したことがわかっています。

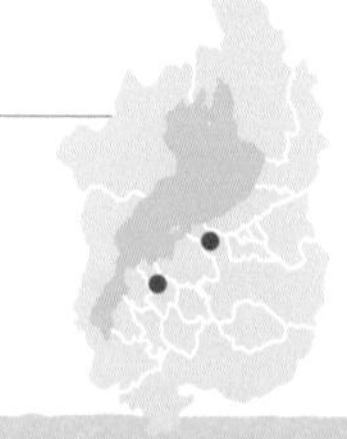

●所在地　野洲市永原（永原御殿跡）

東近江市能登川町（伊庭御殿跡）

※いずれも史跡の外側から見学できます。

近江には、この二つの御殿の他にも、東海道沿いの水口御殿（甲賀市）と中山道沿いの柏原御殿（米原市）が設けられました。

ところが、徳川将軍の上洛は、家光の1634年を最後に、1863年の14代家茂まで200年以上も途絶えました。東海道沿いの水口御殿のように大名が入って水口城になるような場合を除いて、御殿は取り壊されてしまいました。

永原御殿跡は、現在多くが竹林となっていますが、礎石や堀が残り、野洲市が保存活用に取り組んでいます。

＊**朝鮮人街道**　「吉例の道」として、将軍家や朝鮮通信使以外の大名などは通行が許されなかった。

＊＊**作事奉行**　建物の建築や修理をつかさどる役職。

国宝

彦根城天守

有形〈建造物〉

落ちなかった大津城の天守を徳川家康の命令で移築

現在、江戸時代の天守で残っているものは12あり、その中で姫路城（兵庫県）・松本城（長野県）・犬山城（愛知県）、松江城（島根県）、そして彦根城の五つが国宝です。彦根城の天守は、屋根に切妻破風・入母屋破風・唐破風と複数の破風を用いて変化に富んだ外観が特徴です。

じつはこの天守は、もとは大津城の天守で、関ヶ原の戦いの前に城主の京極高次＊が籠城して西軍およそ1万5000人の兵を足止めした東軍勝利の影の功労者。「落ちなかった、めでたい天守」と讃えた徳川家康が、彦根の新しい城に移築するよう命じたとされます。

1957年からの解体修理で見つかった建物各部に記された番付も移築を裏づけ、それをもとに大津城の天守の姿も復元されました。

●所在地　彦根市金亀町1-1
※公開（見学可）

推定復元図によると、大津城天守は5階4重（内部が5階建て、屋根の重なりは四つ）だったものが、彦根城天守は3階3重になりました。彦根城天守の柱には、使われていない「ほぞ穴」**を木片で埋めた箇所も見つかっています。

大津城だけでなく、長浜城や佐和山城からも、移築や部材の使い回しがあったと伝わります。当時、他のお城をリユースして新しい城を築くのは、一般的なことでした。

＊京極高次　母は浅井久政の娘、妻は長政の娘。

＊＊ほぞ穴　別の木材を接合する際、突起（ほぞ）を受ける側の部材につくる凹形の穴。

国宝

紙本金地著色風俗図（彦根屏風）

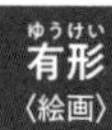

ようやく屏風の形になった井伊家の名品

江戸時代初期の京都の遊里（遊郭）を描いたとされる紙本金地著色風俗図は、彦根藩主井伊家に伝わったため、「彦根屏風」と呼ばれています。幕末の大老・井伊直弼の兄で1代前の藩主にあたる直亮*が、楽器商から表装されていない状態で購入し、そのまま保存されていました。1967年に1面ずつの額装とされ、2006年から翌年におこなわれた保存修理で、現在の屏風の形になりました。

縦94cm、横271cmの小さな六曲一隻に、三味線を弾いたり、双六をする男女15人と犬1匹が細かなタッチで描かれています。作者は不明ですが、井伊家所蔵になる前に、人物を模写したり構図に影響を受けた絵が多数制作されており、名品として知られていたようです。

●所　蔵　彦根市（彦根城博物館保管）
●所在地　彦根市金亀町1-1
※彦根城博物館での特別公開時に見ることができます。
それ以外の期間はレプリカを展示。

「紙本」は紙に描いた書画であることを意味します。絹地（絹糸で織った布）に描いた書画を「絹本」といいます。「金地」は紙・布・塗り物などに金箔を押したり金泥を塗ったものをさします。「著色」は「着色」と同じ意味で、色をつけたものであることをいいます。「風俗図」は、ある時代の一般人の日常生活を描いた絵をいいます。

六曲一隻は、６枚に折りたたむことができる屏風１組という意味です。「曲」は折りたたんだ時の面を数える単位、「隻」屏風を数える単位で、２隻１組の屏風は「双」と数えます。

＊**井伊直亮**　趣味人で、雅楽の楽器コレクターだった。

国宝

延暦寺根本中堂

堂内の半分以上は土間!? 平安時代の姿を受け継ぐ

天台宗総本山、比叡山延暦寺の歴史は、７８８年、宗祖最澄がこの地に自ら刻んだ薬師如来像をまつったお堂を建てたことに始まります。当初のお堂（一乗止観院）は、東を向いて北から文殊堂、薬師堂、経蔵の三つが並んだもので、８８７年の改築で一つにまとめられると、中央の薬師堂部分を「中堂」と呼ぶようになりました。

その後、焼失4回（織田信長の焼き討ちをふくむ）、台風による倒壊1回を経て、徳川家光の命で１６４２年に再建されたものが現在の根本中堂で、滋賀県では最大の歴史的木造建築物です。礼拝者が入れる外陣と中陣の床は板敷ですが、北から文殊菩薩・薬師如来・最澄をまつる厨子*が並んだ内陣は、石敷の土間という古い形式を残しています。

●所　蔵　延暦寺

●所在地　大津市坂本本町4220

※改修工事中（見学可）

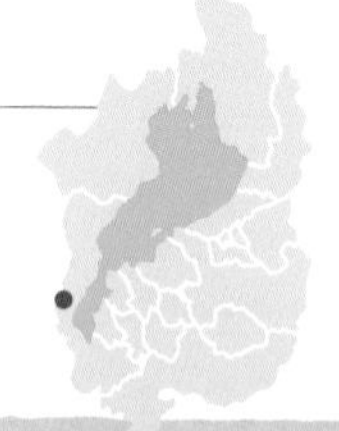

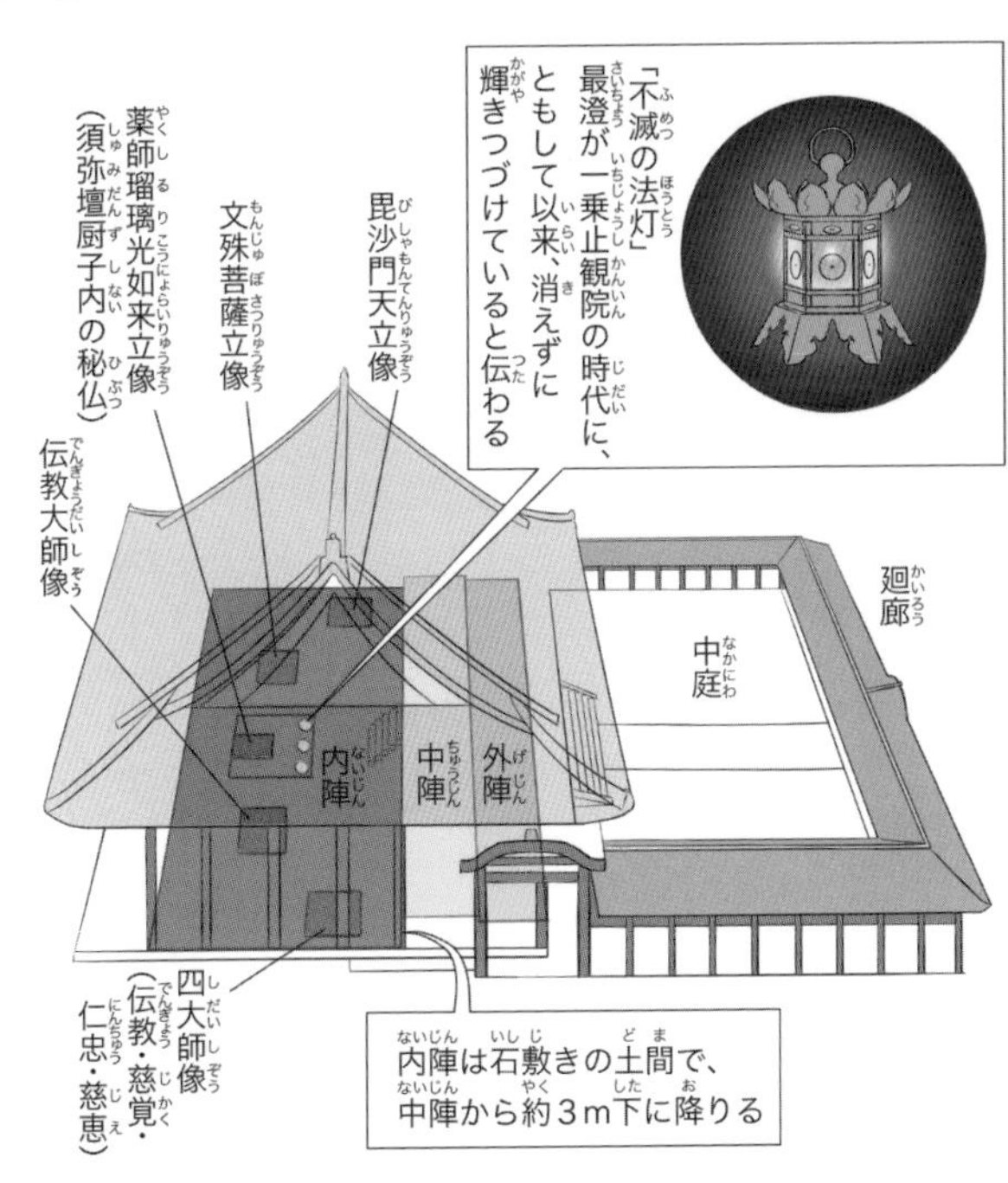

根本中堂の前には、中庭を囲んでコの字形に廻廊**が建っており、こちらは重要文化財に指定されています。根本中堂の屋根は１７９８年に瓦棒銅板葺に改められましたが、廻廊の屋根は当初のままの栩葺（柿より厚い板で葺いたもの）です。

延暦寺には、「伝教大師将来目録」（最澄が唐から持ち帰った経典類の自筆目録）など、根本中堂もあわせて10の国宝があります。重要文化財になると、仏堂以外の鐘楼や門もふくめて建造物が20件余り、仏像が約20件、絵画や工芸品などをあわせた合計は60件を超えます。

＊厨子　仏像や舎利、経巻を安置する仏具。正面に両開きの扉がつく。
＊＊廻廊　建物や中庭の周囲にめぐらされた廊下。

重要文化財

雨森芳洲関係資料

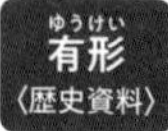

関東大震災の影響もあって滋賀の地に

「朝鮮通信使」は朝鮮王朝が日本へ派遣した使節団で、1607年から1811年まで12回来日しました。対馬（長崎県）から江戸までのルートに近江もふくまれ、守山宿―八幡町―彦根間は、徳川将軍の上洛道があてられ、この道は今も「朝鮮人街道」と呼ばれています。芳洲は、伊香郡雨森村（長浜市高月町雨森）出身の医者の子に生まれた雨森芳洲は、対馬藩の儒学者として朝鮮との外交・貿易を担当し、第8回（1711年）と第9回（1719年）の通信使に随行して江戸に赴きました。対馬藩の6代藩主宗義誠に対して「互いに欺かず争わず、真実を以って」交流する「誠信外交」を説いた『交隣提醒』などを含む「雨森芳洲関係資料」123点は、重要文化財に指定されています。

●所　蔵　芳洲会
●所在地　長浜市
※高月観音の里歴史民俗資料館で常設展示。

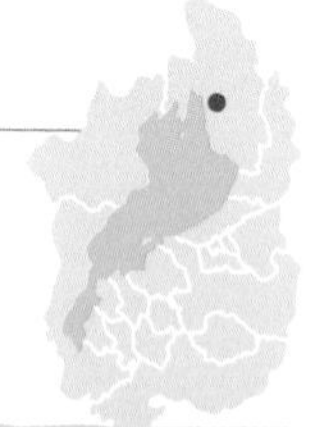

「雨森芳洲関係資料」は、もともと芳洲の子孫である対馬の雨森家が整理・書写したものです。雨森家は明治時代半ばに東京へ引っ越し、大正時代初めに関係資料も東京に移されました。

一方、伊香郡雨森村では、1920年に地元の小学校校長が地域の偉人として、一般には知る人もなかった雨森芳洲を再発見し、「芳洲会」が設立されて、大々的な調査・顕彰活動がおこなわれます。1923年の関東大震災を経験した雨森家は、その2年後、活動に対するお礼と大地震への備えとして、芳洲会に資料をすべて寄贈しました。

＊儒学　中国古代の儒家思想を基本にした学問。孔子の唱えた倫理政治規範を体系化し、四書五経の経典を備え、長く中国の学問の中心となった。

江戸時代

国指定史跡

草津宿本陣

記念物〈交通〉

歴史上の人物も泊まったVIP専用ホテル

草津宿は、東海道五十三次*の52番目の宿場で、中山道と合流していたため江戸と京を往来する旅人や物資で賑わい、旅籠**の数は1843年の記録で72軒を数えました。公家や大名、幕府役人が休憩・宿泊する本陣は2軒あり、そのうちの田中七左衛門本陣が現存しています。

建物は、1718年に草津宿で発生した大火事で類焼したため、膳所藩の藩主別邸だった瓦ヶ浜御殿を拝領して移築したものです。部屋数は39室もあり、「御除ケ門」と呼ばれる裏門も備えていました。

1868年に明治天皇が昼食をとりに訪れたため、明治天皇行在所に指定され、保存修理がおこなわれました。明治時代には栗太郡役所、戦後は公民館に使われたこともあります。

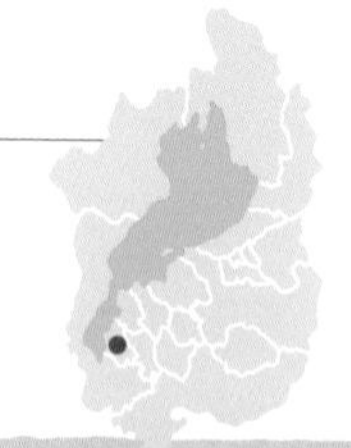

●管理団体　草津市
●所在地　草津市草津一丁目2-8
※公開（見学可）

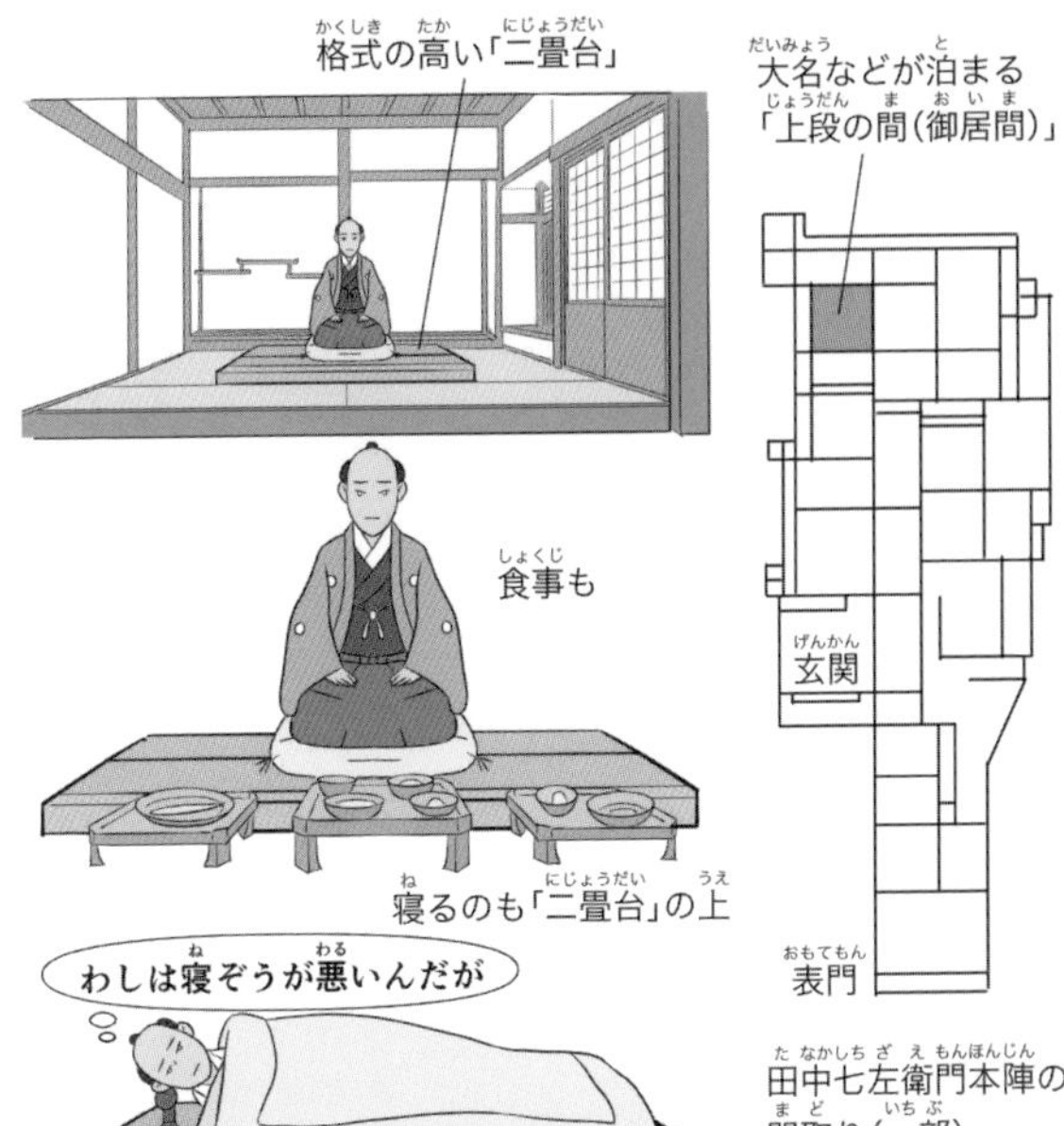

本陣は完全予約制で、貸し切りで1組が泊まりました。予約順が基本でしたが、勅使(天皇の使い)や徳川御三家(尾張・紀州・水戸)の予約が優先されました。

宿泊者の名前を記した大福帳によって、吉良上野介と浅野内匠頭が「忠臣蔵」のモデルとなる事件を起こす2年前に9日違いで泊まっていたり、皇女和宮、明治天皇、シーボルト、新撰組の土方歳三・斎藤一など、多くの歴史上の人物が利用したことがわかっています。

＊**東海道五十三次**　江戸時代に整備された五街道の一つ、東海道にある53の宿場を指す。
＊＊**旅籠**　江戸時代、旅行者を宿泊させる食事付きの宿屋。

天然記念物

平松のウツクシマツ自生地

記念物〈自生地〉

東海道の名所として知られた松林

美松山の斜面に生えるウツクシマツは、1本の幹から放射状に幹が分かれた、全国でもこの地でしか見られない松林です。東海道の街道筋からも近い距離にあるため、「美し松」として、江戸時代から『東海道名所図会』などで紹介され、全国的に知られていました。

東近江市南花沢町・北花沢町のハナノキとともに、1921年（大正10）に滋賀県で初めて天然記念物の指定を受けました。当初は、ウツクシマツはこの地でしか育たないと考えられていましたが、現在は別の土地でも生育するとわかっています。県内の数か所で移植されたウツクシマツを見ることができますが、天然記念物に指定されているのは「自生地」なので、移植先のウツクシマツは文化財の指定は受けていません。

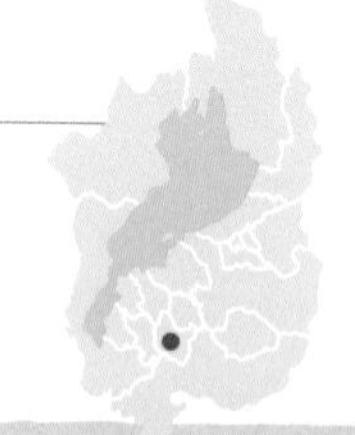

●管理者　湖南市

●所在地　湖南市平松

※公開（見学可）

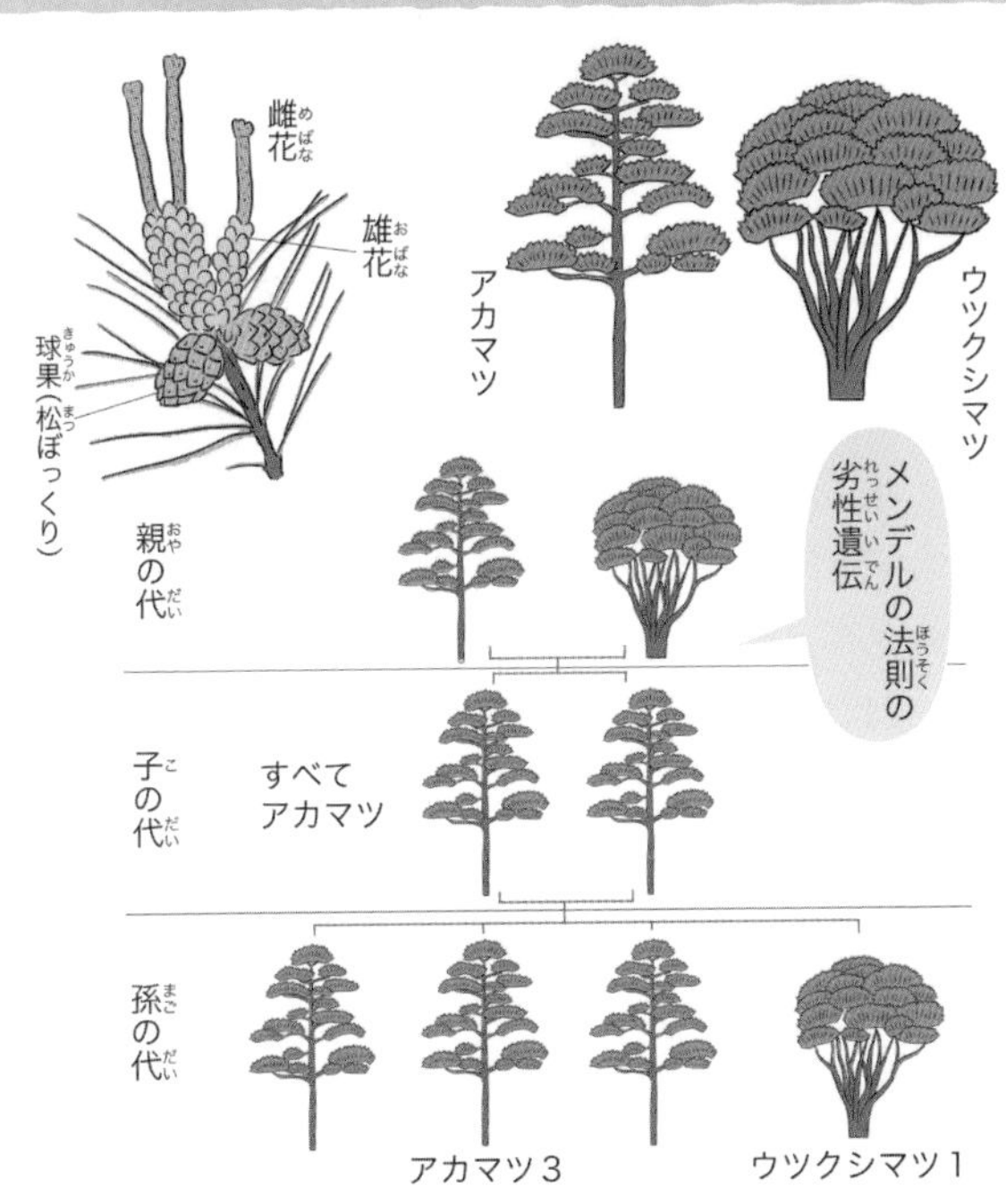

ウツクシマツは、マツ科のアカマツ（最も目にする機会の多い松）の天然変種にあたり、その形態は、土質の影響ではなく、遺伝形質によるものであることが、滋賀県森林センターの研究によってわかりました。

地元の平松では、松尾神社の神木と伝わってきたため、切る者はおらず、1882〜83年（明治15、16）頃から保勝会による保護がおこなわれてきました。

現在、松枯れの被害が進行しており、湖南市が保全活用計画を策定し、将来へ継承する取り組みが進められています。

＊ハナノキ　カエデ科の樹木。指定木は、聖徳太子が植えたという伝説をもつ巨木。

沙沙貴神社楼門

佐々木一族に告ぐ。「全員集合！」

沙沙貴神社は、鎌倉時代から室町時代にかけてのおよそ400年にわたり近江国を支配した佐々木氏の氏神で、佐々木源氏発祥の地といわれています。古代からこの地には佐々貴山君氏という豪族がいましたが、平安時代末に源頼朝の家臣として数々の戦功をあげ、近江にやってきた宇多源氏佐々木氏がこれに取ってかわったようです。

佐々木氏は、惣領家＊の六角氏と庶家の京極氏、高島氏、さらに朽木氏、尼子氏などが別れ、江戸時代にも他国の大名（藩主）として残りました。丸亀藩（香川県）の京極家は毎年米100俵を納めており、宇多天皇やその皇子で一族の祖にあたる敦実親王の式年祭＊＊では、全国の佐々木一族や家臣の一族に、参加や協力が呼びかけられました。

●所　蔵　沙沙貴神社
●所在地　近江八幡市安土町常楽寺1
※境内自由

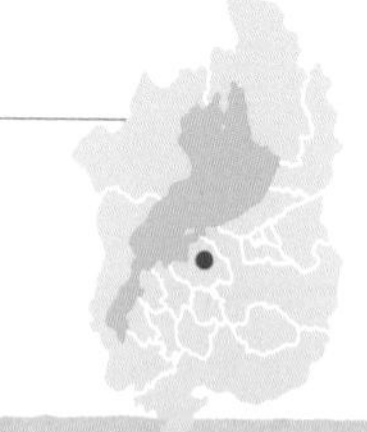

沙沙貴神社の建物のうち、もっとも古いものが江戸時代中期に建てられた楼門です。茅葺の楼門ですが、1843年に発生した火災の類焼を免れました。火災から5年後に本殿と拝殿が、丸亀藩京極家によって再建されました。

最近では、2018年の台風で本殿の屋根などに大きな被害が出ましたが、佐々木姓のメンバーがいるアイドルグループのファンからも多くの寄付が集まったおかげで、短期間のうちに修復されました。

江戸時代

＊惣領家／庶家　武士社会における一族の本家。／本家から別れた一族。
＊＊式年祭　死後、1年を超えて一定の期間ごとにおこなわれる祭祀。

大津市坂本

伝建地区
〈里坊・門前町〉

里坊が建ち並ぶ延暦寺と日吉大社の門前町

全国の日吉・日枝・山王神社の総本宮である日吉大社から琵琶湖に伸びる広い参道は、「日吉馬場」と呼ばれます。長さ約300mのこの道の両側を中心として、石垣や生垣に囲まれた里坊が建ち並び、川や水路とともに独自の歴史的景観をつくっており、一帯が重要伝統的建造物群保存地区に選定されています。

里坊とは、延暦寺の山坊で修行していた僧が60歳を超えると、麓に下りて暮らした隠居所のことです。江戸時代初期、天台座主*についた後水尾天皇の第三皇子が坂本の滋賀院に住むようになり、その周りに里坊が増えていきました。滋賀院門跡**庭園、旧竹林院庭園など、里坊の中につくられた10の庭園は芸術的価値が高いとして名勝に指定されています。

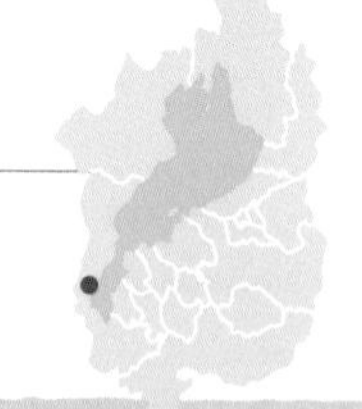

●所在地　大津市坂本
※滋賀院門跡庭園、旧竹林院庭園は公開(見学可)

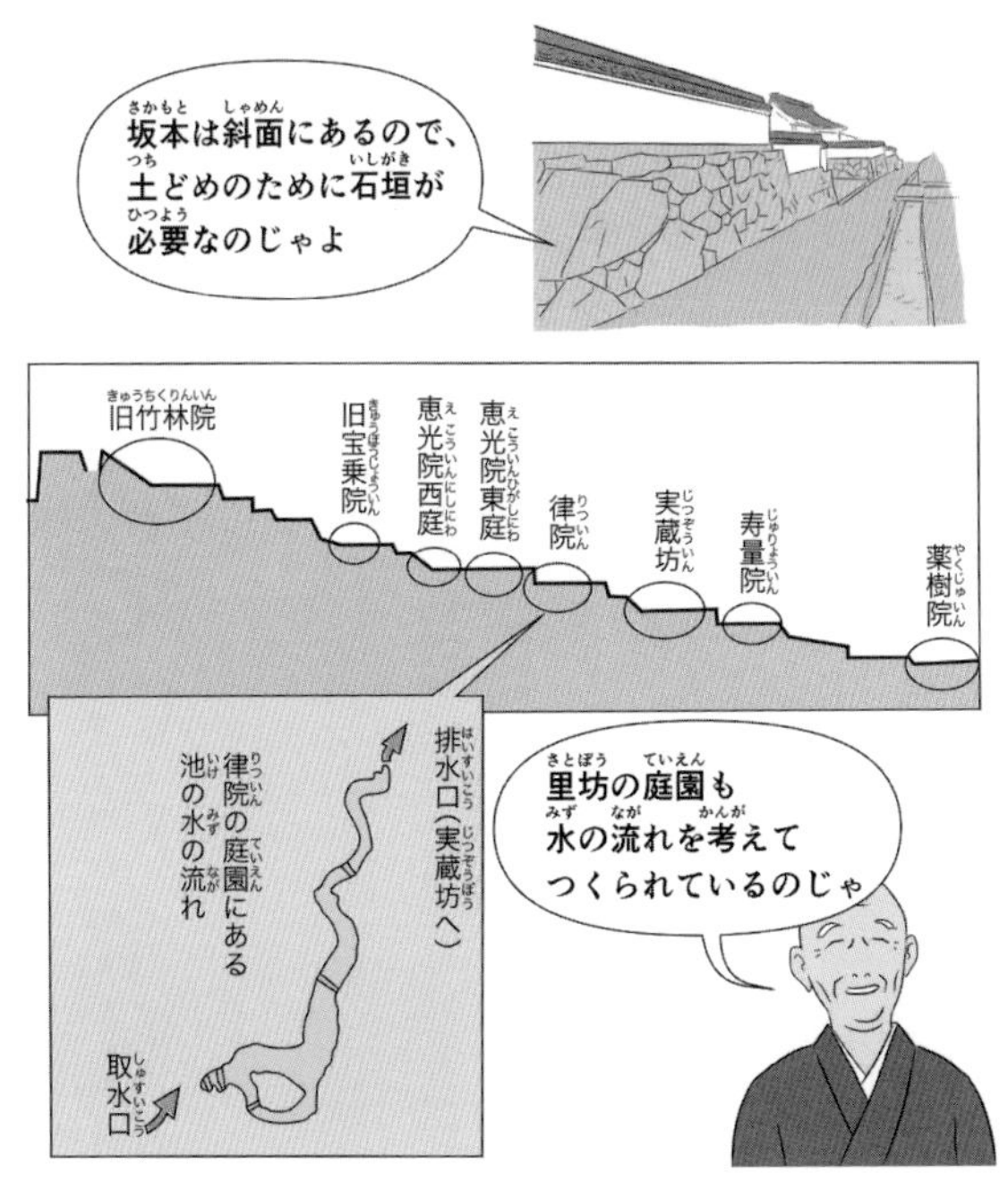

比叡山の東の麓にある坂本は、琵琶湖にも近く、延暦寺が各地に持っていた荘園から船で米や物が集まる港町として栄えました。

1571年、織田信長による比叡山焼き討ちの時に、坂本の町も大部分が焼き払われてしまいますが、その後、坂本城を築いた明智光秀によって、寺と町の復興が進められました。

景観を形づくる美しい石垣は、穴太衆積みといい、坂本近辺で活躍していた石工集団である穴太衆が積んだものとされています。

＊**天台座主**　天台宗の総本山である比叡山延暦寺の貫主（住職）。
＊＊**門跡**　出家した皇族・貴族などが住んだ特定の寺院。

重要文化財

旧宮地家住宅

有形〈建造物〉

移築前は入口が南を向いていた余呉型民家

滋賀県立安土城考古博物館がある史跡公園「近江風土記の丘」に建っている昔話の舞台になりそうな茅葺屋根の民家は、旧宮地家住宅といい、1970年に長浜市国友町から移築されました。移築時に発見された墨書*から、1754年(宝暦4)に建てられたことがわかりました。入母屋造、妻入で、滋賀県北部に多い「余呉型民家」を代表する建築です。

余呉型民家は、長浜市内でも南部や米原市では、平入が見られますが、積雪量が多い長浜市北部になるほど、妻入の割合が増えることが調査でわかっています。その理由は、平側より屋根面積が小さい妻側の方が落ちる雪の量が少ないためと考えられています。さらに、入口を南にすることで、雪融けを早くする生活の知恵を見ることができます。

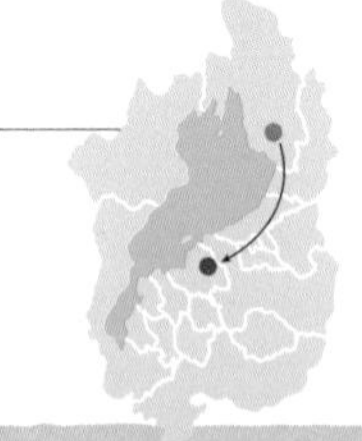

●所　有　滋賀県

●所在地　長浜市国友町→近江八幡市安土町下豊浦

※公開(見学可)

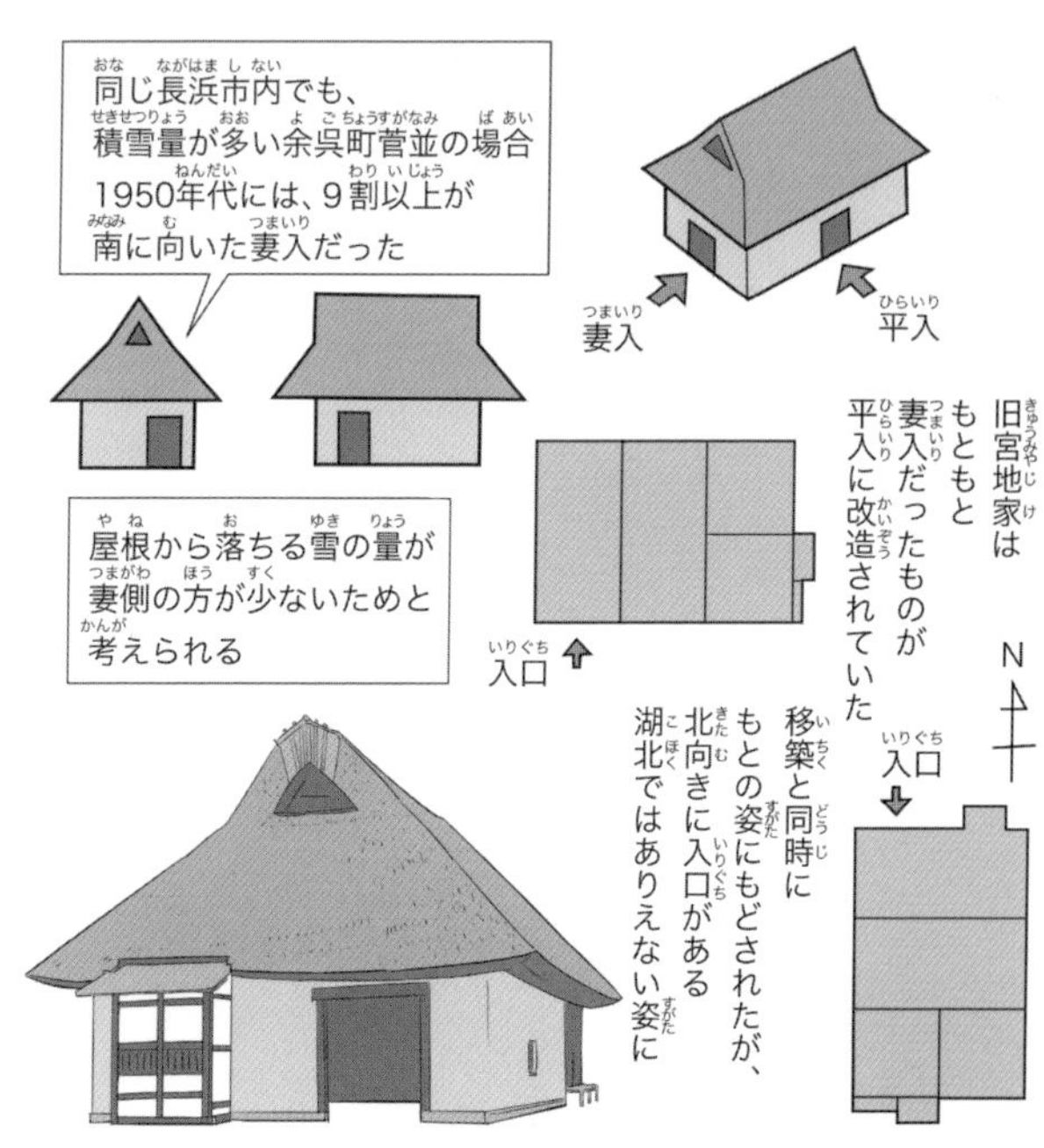

「近江風土記の丘」には、旧宮地家住宅のほかに、旧安土巡査駐在所と旧柳原学校校舎も移築されています。

旧安土巡査駐在所は、旧朝鮮人街道と旧安土街道が交わる場所に1885年に建てられ、1965年まで使われていました。旧柳原学校校舎は、1876年、高島郡新儀村（高島市新旭町）に建てられた小学校です。駐在所は2008年に、小学校は1959年に県指定有形文化財になりました。

どちらも日本人の大工が、西洋建築の要素を取り入れた擬洋風建築に分類される建物です。

＊**墨書**　墨で書くこと。また、その書いたもの。建物の建材に、建築年が書かれていることがある。

＊**巡査駐在所**　今でいう交番。

江戸時代

重要文化財

彦根城馬屋

有形〈建造物〉

かつて馬屋の隣は、家来たちの溜まり場

彦根城に東の佐和口から入ると、二の丸駐車場の手前に、L字形をした柿葺の建物があります。江戸時代の城に備えられた大規模な馬屋としては全国で唯一残るもので、重要文化財に指定されています。

東の端に畳敷きの小さな馬番部屋があるほかは、21の区画に仕切られ、馬をつないでおくことができました。

明治初めの二の丸を撮影した写真によると、西の端にあたる門番部屋の南（現在は駐車場の入口）には、ほぼ同じ長さの建物が続いていました。この部分は「腰掛」と呼ばれ、道に面する側に格子窓があり、出仕した武士のお供でやってきた家来たちが腰を下ろして、主人が出てくるのを今か今かと待っていた場所です。

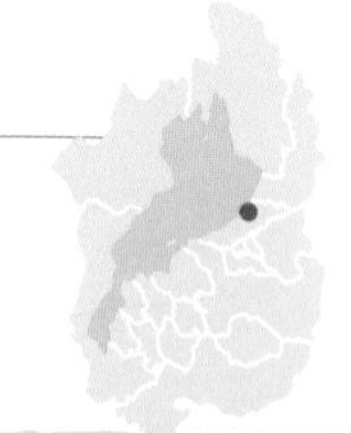

●所　有　彦根市
●所在地　彦根市金亀町4-35
※公開（見学可）

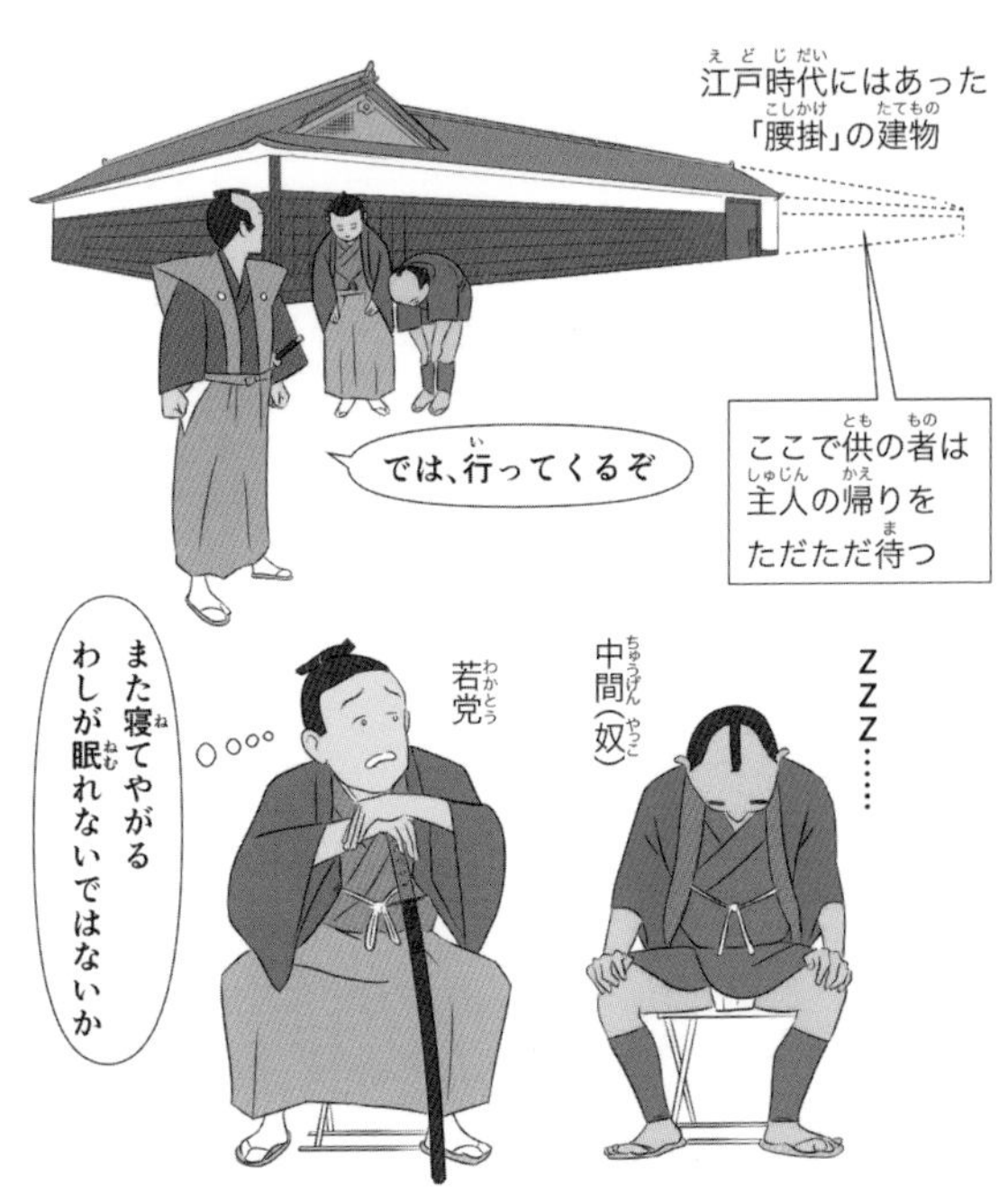

馬屋は、明治以降、倉庫や住宅として使われ、昭和40年代に解体修理がおこなわれるまではかなり荒れ果てていました。

その頃の馬屋の屋根は瓦葺でしたが、これは1767年に佐和口多聞櫓の火災が燃え移ったことがあり、もともと柿葺だった屋根を瓦葺に変更したことがわかりました。そのため、解体修理後は、当初の柿葺が復原されました。

建物の調査・研究により、建築当時のようすがわかることがあります。建造物の保存修理は、建てられた時の姿にもどすように実施されます。

＊柿葺　「柿」と呼ばれる厚さ3㎜の薄い板で屋根を葺くこと。材料は主にスギやサワラ。

江戸時代

重要無形民俗文化財

近江中山の芋競べ祭り

民俗〈風俗・祭礼〉

東西に分かれて里芋の長さを競う神事

芋競べ祭りは、毎年9月第一日曜日に日野町中山東と中山西がそれぞれの育てたサトイモの茎＊の長さを競う行事です。８００年以上の歴史をもつとされていますが、由来は定かではありません。

山若・山子と呼ばれる若者たちが、熊野神社に参拝後、東西の境にある野神山の祭場に向かいます。河原の石を敷き詰め、竹矢来＊＊で囲んだ祭場の中央に置かれた芋石に、東西それぞれのサトイモをくくりつけた竹を向かい合わせにすえます。相手方のサトイモに定尺と呼ばれる8寸（約24㎝）のものさしをあて（「芋打ち」という）、何回分になるかで長さを競います。勝負はその年の米の出来を占う意味もあり、西が勝てば豊作、東が勝てば不作とされています。

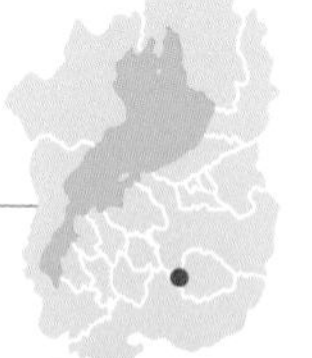

●所在地　蒲生郡日野町中山

東の芋は西の芋よりも1丈も2丈も、
3、4丈も5、6丈も長ごう打ってござる
西の芋は東の芋よりも1丈も2丈も、
3、4丈も5、6丈も7丈も長ごう打ってござる
双方長い長いと申さるるが互いに
欲目もあれば、今一度立ちかわって改めよ

山若は芋を打つたびに
手をゆすりながら
足をふみしめる
ドンジョフミと呼ばれれる
独特の動きをする
狂言を演じているような
祭礼

東は水が豊富ではない棚田で、西は山裾の湿地であるため、7～8月に雨が多かった年は、東のサトイモがよく育つが、米は日照不足で不作となる。逆に7～8月に晴天の多かった年は西の方がよく育ち、米も豊作になるのだといいます。

このような祭りは他にはなく、「天下の奇祭」ともいわれています。滋賀県では他にも、日本三大奇祭の一つに数えられることもある「鍋冠まつり」（米原市朝妻筑摩の筑摩神社）が、毎年5月5日におこなわれています。

＊サトイモ　一般的な小芋ではなく、トウノイモである。
＊＊竹矢来　竹をあらく組んだ囲み。

すし切り祭り　長刀踊り・諌鼓の舞い

民俗〈芸能・風流〉

切るのはフナずしではなく塩漬けしたフナ

下新川神社で5月5日におこなわれる「すし切り祭り」は、若者二人が裃姿で真魚箸という鉄製の箸と包丁を使って、神前でまな板の上の塩漬けの子持ちブナ10尾を古式に則って切り分け、供えられます。祭神の豊城入彦命（崇神天皇＊の第一皇子）が湖西から筏に乗って琵琶湖を渡り、この地に上陸した際、村人がフナの塩漬けを献上したのが起源とされています。命は、この地を「幸津川」と名づけたとされます。

すし切りの神事終了後、撥を持った雄の獅子と太鼓を持った雌の獅子の扮装をした少年が踊る「諌鼓の舞い」、法被を着て化粧まわしをつけた少年たちが長刀を振る「長刀踊り」が奉納され、これが「近江のケンケト祭り長刀振り」として、文化財に指定されています。

●所　蔵　下新川神社
●所在地　守山市幸津川町1356
※県内の他の「ケンケト祭り」もゴールデンウィークを中心におこなわれます。

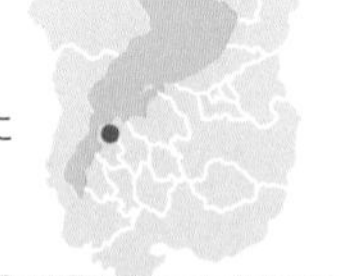

フナずしになる前の塩漬けしたフナは、フナの鱗や内臓を取り除き、塩をすり込んで桶の中に並べ、重石をして2か月以上漬けたもので、「塩切り」ともいいます。

塩漬けして余分な水分がぬけたフナを水洗いし、半日陰干しします。炊いたご飯と塩を使って、もう一度夏から冬にかけて桶に重石をのせて本漬けし、乳酸発酵による「なれずし」の代表、フナずしができあがります。

フナ以外の魚でも作られる湖魚のなれずしは、「滋賀の食文化財」として滋賀県選択無形民俗文化財となっています。

＊崇神天皇　日本の第10代天皇。実在したとすれば、3世紀後半に在位。
＊＊長刀　長い柄の先に反り返った長い刃をつけた武器。

重要無形民俗文化財

長浜曳山祭の曳山行事

民俗〈祭礼〉

ユネスコ無形文化遺産に登録された山・鉾・屋台行事

4月に長濱八幡宮の祭礼としておこなわれる長浜曳山祭は、羽柴（豊臣）秀吉が、長浜城を築き、その城下町をつくった頃、男子が生まれたのを祝って町民に振る舞った砂金をもとに、曳山がつくられたのが始まりとされています。江戸時代中頃から曳山の上で狂言＊（歌舞伎）が演じられるようになったため、曳山の構造も変わりました。

祭りの一番の見どころである「子ども歌舞伎」は、曳山を所有している山組から選ばれる5歳から12歳ぐらいまでの男子が演じます。シャギリと呼ばれる笛・太鼓などのお囃子も小中学生がおこないます。

米原曳山祭（米原市）でも子ども狂言が演じられます。長浜市内では、かつて宮司町、五村、高月町雨森に、舞台がついた曳山がありました。

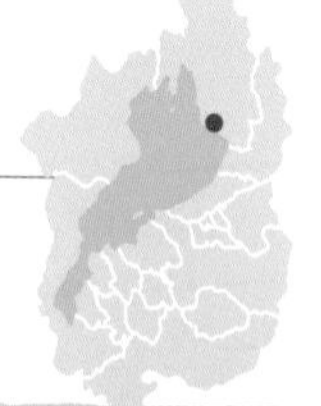

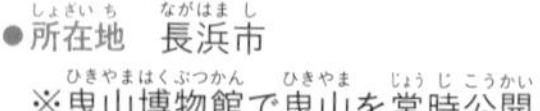

●所在地　長浜市

※曳山博物館で曳山を常時公開

車輪のついた曳山（山車）や屋台が移動する祭りは、京都の祇園祭をルーツとして、日本各地に広がりました。その数は全国でおよそ1300件もあります。

2016年には、全国各地の重要無形民俗文化財33件（長浜曳山祭をふくむ）による「山・鉾・屋台行事」が、ユネスコ無形文化遺産に登録されました。山・鉾・屋台の上で狂言（歌舞伎）を演じたり、お囃子を演奏したり、からくりの見世物があったり、毎年作り直されたり、ぶつけ合ったりと、それぞれに異なる発展をとげてきました。

＊**狂言**　長浜では、曳山の舞台で演じられる芸能を、歌舞伎の演目であっても、「狂言」と呼ぶ。

重要文化財

四宮祭月宮殿山飾毛綴／四宮祭鯉山飾毛綴

ギリシャ神話の名場面は町人の経済力の証

京都市の祇園祭の山鉾と同様に、大津祭や長浜曳山祭の曳山も絢爛豪華な装飾に彩られ「動く美術館」とも呼ばれます。とくに背面を飾る見送り幕は、日本産・中国産だけでなく、ヨーロッパ産の染織物も用いられ、江戸時代から町民の目を楽しませてきました。

毎年10月に天孫神社の祭礼としておこなわれる大津祭（別名「四宮祭」、重要無形民俗文化財）の13基の曳山のうち、月宮殿山と鯉山の見送り幕は、ともに16世紀後半に現在のベルギーで製作されたタペストリーで、重要文化財に指定されています。もともとは祇園祭の白楽天山の前懸とともに、1枚のタペストリー*を切り分けたもので、ギリシャ神話の「トロイア陥落**」の場面が羊毛で織られています。

●所　蔵　上京町月宮会／太間町竜門会
●所在地　大津市京町一丁目／二丁目
※大津祭曳山展示館で祭りを紹介

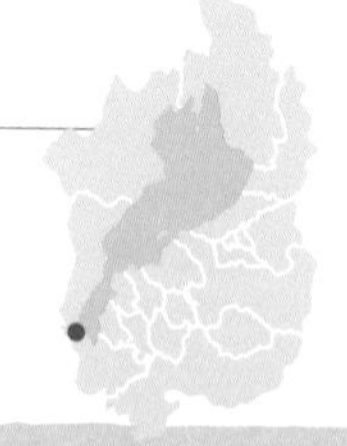

大津祭の見どころの一つは、精巧につくられた「からくり」です。故事や能楽、謡曲などを題材としたからくりが、曳山の上で演じられます（「所望」という）。

大津祭は1600年頃に始まったとされています。当時の大津は東海道・中山道の宿場町であると同時に、琵琶湖を船で運ばれた諸藩の年貢米を納める米蔵が立ち並ぶ港町でした。

水陸両方の要衝として大いに繁栄し、「大津百町」とも称された町人たちの経済力を背景に、より趣向をこらした華やかな祭礼へと発展しました。

＊タペストリー　糸で絵や模様を織り出した綴れ織りの壁掛け。

＊＊トロイア　現在のトルコ共和国、小アジア北西部にある古代都市の遺跡。トロイ。トロヤ。

重要文化財

篠津神社表門

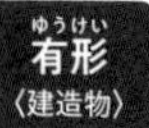

明治に入って真っ先に壊されてしまった膳所城

明治維新を迎え、1873年（明治6）には廃城令が出され、明治まで残った城の多くは取り壊されました。廃城令に先立ち、1870年（明治3）に政府に廃城を願い出た膳所藩知事（元膳所藩主）、本多康穣は、許可後、城の瓦や材木、金物類などを1200両で売り払い、解体しました。

ただし、一部の門と櫓は領内の神社などに寄進する形で移築されました。門10棟、櫓2棟、番所2棟がわかっています。

篠津神社の表門は、膳所城の北大手門でした。高麗門*と呼ばれる形式で、屋根瓦には本多氏の立葵紋がみられます。他にも鞭崎神社表門（草津市）、膳所神社表門（大津市）も重要文化財に指定されています。

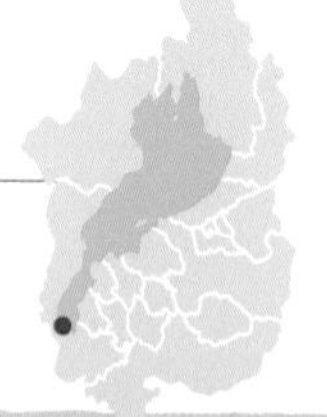

●所在地　大津市中庄一丁目
※膳所城跡は公園として整備されています。

琵琶湖岸に面した膳所城は、風や波にさらされて崩れた石垣の修理などに毎年多額の費用がかかり、藩主の本多氏には、頭の痛い問題だったようです。

とくに1662年に湖西を震源として発生した近江・若狭地震では、天守が傾き、いくつかの櫓が琵琶湖に崩れ落ちるなど大きな被害を受けました。

修理にあたっては幕府の許可が必要だったので、地震による被害を記した絵図と修復計画の絵図が提出されました。この絵図が残されているので、膳所城の縄張り＊＊は、ほぼ正確に知ることができます。

江戸時代

＊高麗門　正面の主体部から両方に袖のように直角に屋根が出ている門。
＊＊縄張り　天守、櫓、堀などを配置した城全体の設計プラン。

滋賀県指定有形文化財

大津事件関係資料

有形〈歴史資料〉

世界を震撼させた事件の証拠品が文化財に

1891年（明治24）5月11日、訪日中のロシア皇太子ニコライ*が琵琶湖観光の後、人力車で京都に向かっていた午後1時50分頃、路上で警備にあたっていた巡査の一人、津田三蔵に後頭部をサーベルで切りつけられました。いわゆる「大津事件」です。頭に2か所の傷をおったニコライは、数軒先の呉服商永井家の縁台に座り込み、店の者が晒し木綿を包帯がわりにニコライの頭に巻きました。

大津事件関係資料には、事件顛末書などの文書類だけではなく、津田が用いた官給サーベル、ニコライが血をぬぐったハンカチと腰掛けた座布団などの物品もふくまれます。文書が入った箱には、「知事・警察本部長の外開披すべからず」と書かれた紙が貼られています。

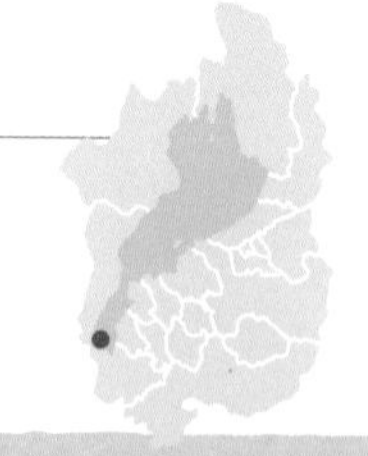

●所　蔵　滋賀県立琵琶湖文化館

●所在地　大津市打出浜地先

※事件の現場付近には、石碑が立てられています。

関係資料99点はいくつかに分類できます。津田の尋問記録や家宅捜索の調書をふくむ事件顛末書等が12点、事件の物証にあたる記念品類12点。一番多いのは、事件から10年後の永井家の土地家屋に関する文書46点で、さらに10年後のその土地家屋の寄附に関する文書もあります。

また、事件から10年後に、ロシア教会が事件現場となった永井家の土地と家屋、記念品を買い取ろうとする動きがありました。事前に察知した内務省と滋賀県が先回りして買収したという、知られざる歴史があります。

＊**ロシア皇太子ニコライ**　のちのロシア皇帝ニコライ２世。

明治時代

登録有形文化財

アンドリュース記念館（旧近江八幡YMCA会館）

有形〈建造物〉

アメリカンではなく、スパニッシュ・スタイルがお好み

ウイリアム・メレル・ヴォーリズは、1905年（明治38）に滋賀県立商業学校（現、八幡商業高校）の英語科教師としてアメリカから来日し、その後、数多くの西洋建築を設計しました。日本で初めて設計を手がけた建物が、近江八幡市にあるアンドリュース記念館です。

緩い勾配の屋根に赤茶色の瓦、クリーム色の外壁と同じ色の四角い煙突、これらは建築様式でいえば、スパニッシュ・スタイルと呼ばれるもので、これに和風のデザインを取り入れた造りになっています。スパニッシュ・スタイルは、スペイン本国発祥ではなく、旧スペイン領だったアメリカ西海岸などで発達したものです。

スパニッシュの和風化は、ヴォーリズ建築の大きな特徴とされています。

●所在地　近江八幡市為心町31
※毎年、春・秋に特別公開実施。

1950年築、
近江金田教会
（近江八幡市、登録文化財）
典型的なスパニッシュ様式

スパニッシュ・スタイルは、旧八幡郵便局、滋賀大学陵水会館（彦根市、登録文化財）、神戸女学院キャンパス（兵庫県、重要文化財）など、多くの設計作品に採用されています。

ヴォーリズ設計の住宅でもう一つ多い様式はコロニアル・スタイルと呼ばれるアメリカ植民地時代に発達したもので、近江八幡市にあるヴォーリズ邸、ウォーターハウス邸、吉田邸などが、これにあたります。他にも、イギリスの伝統的なチューダー様式、フランス生まれのゴシック様式など、さまざまな建築様式を見ることができます。

＊**アンドリュース**　ヴォーリズのコロラド大学時代の親友ハーバード・アンドリュースにちなむ。若くして亡くなった彼の父は、YMCA 会館の建設にあたり寄付をした。

重要有形民俗文化財

近江甲賀の前挽鋸製造用具及び製品

民俗〈生産・生業〉

海外でも大活躍！メイドイン甲賀の幅広ノコギリ

動力付きの製材機が普及するまで、巨木を薄い板に切り分ける作業に用いられていた道具が前挽鋸です。木を縦に挽く際、体の正面に構えて手前に挽いたことから、この名前があり、大鋸とも呼びます。

甲賀市の杣川沿いの集落では、江戸時代から昭和にかけて前挽鋸が生産されていました。明治時代に博覧会で一等賞をとって品質が認められ、1908年（明治41）の出荷枚数は2万7000枚に達しました。戦前の旧領土で、森林資源が豊富だった樺太や朝鮮半島、台湾のほか、マニラなどへも販売されました。

甲賀市には製品のノコギリだけでなく、完成までの各工程で使われる道具一式がすべてそろっており、仕入・販売関係資料も残っています。

●所　蔵　甲賀市

●所在地　甲賀市甲南町葛木925

※甲賀市甲南ふれあいの館で常設展示。

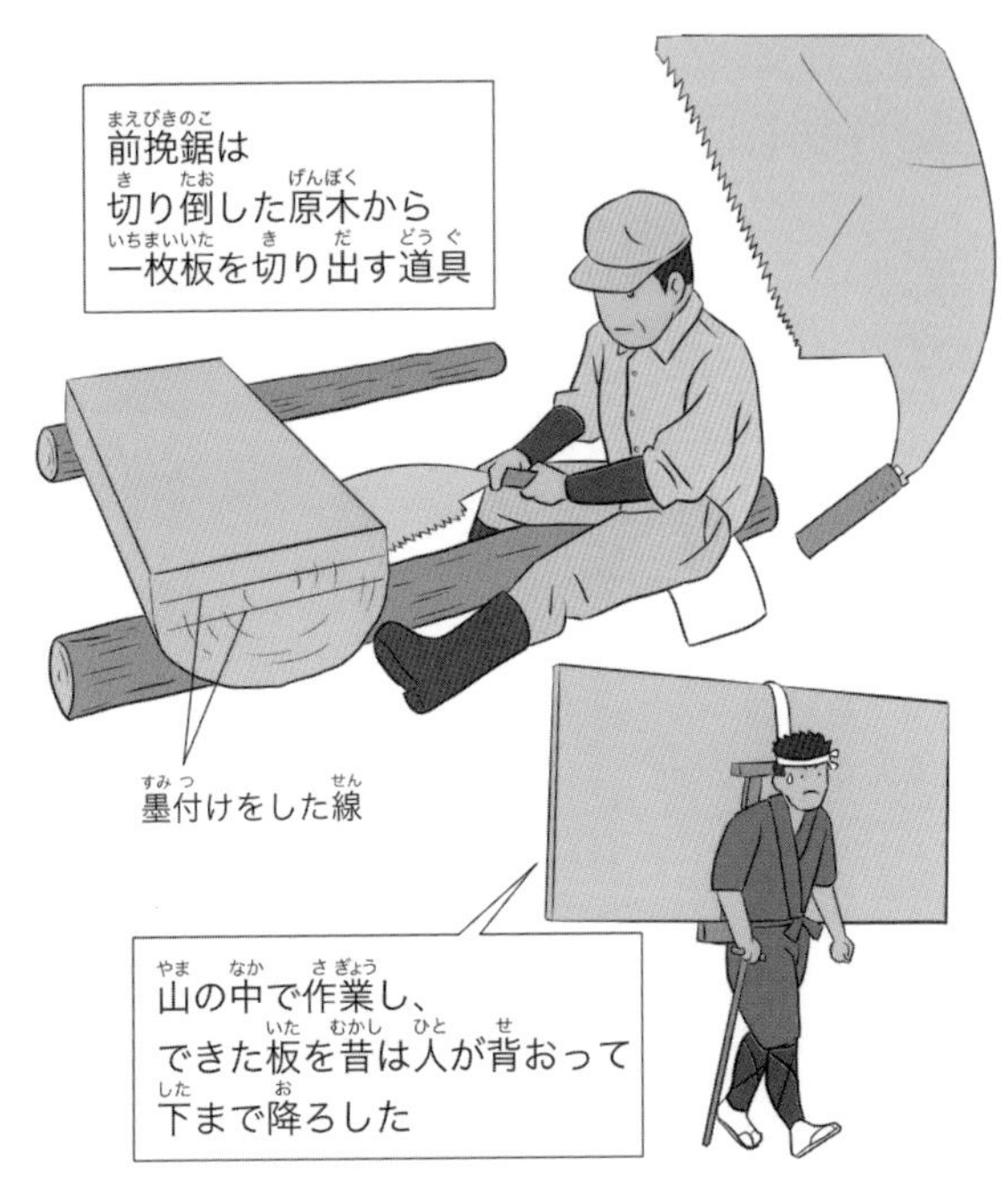

甲賀は林業に縁の深い土地です。古くは、甲賀杣＊として東大寺や石山寺などの大寺院の建物に使われる木材を産出しており、延暦寺の建立時には最澄が用材を求めて訪れたという伝承もあります。

新名神高速道路の工事の際には、飛鳥時代に伐採され、使用されなかった巨木が埋もれ木となって多数発見されました。

こうした山とともにある暮らしにより、山野草から薬をつくるようになり、甲賀のもう一つの地場産業である製薬業も発達していったのかもしれません。

＊**杣**　林業や建材となる木材を供給する森林のこと。

登録有形文化財

旧豊郷小学校校舎・講堂・酬徳記念図書館

有形〈建造物〉

卒業生がプレゼントした東洋一の小学校

旧中山道に面して建つ2階(一部3階)建ての豊郷小学校旧校舎と、講堂、図書館は、1937年(昭和12)に完成した鉄筋コンクリート造の小学校施設です。設計は、ウィリアム・メレル・ヴォーリズで、左右対称、白壁の近代的外観です。耐震・耐火・通風・採光などに当時最先端の技術を用い、トイレも一部水洗とするなど、戦前の小学校建築としては最高水準のもので、「白亜の教育殿堂」や「東洋一の小学校」と呼ばれました。

この小学校は、豊郷町出身の古川鐵治郎が、老朽化した母校の移転新築を提案し、私財の3分の2にも及ぶ60万円という巨費を寄付して建設されました。これは現在の価格で十数億円にあたるといわれています。

今はアニメの聖地としても有名になっています。

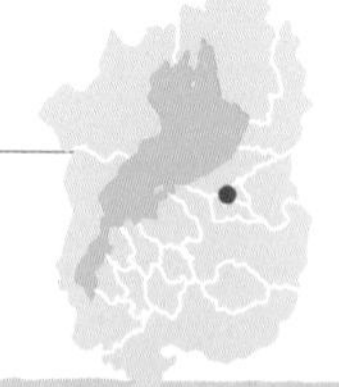

●所在地　犬上郡豊郷町石畑518
※公開(見学可)

古川鐵治郎は、12歳で伯父にあたる初代伊藤忠兵衛*のもとに丁稚**見習いとして預けられました。２代伊藤忠兵衛の時代に、伊藤忠から分離独立した丸紅商店の専務となります。

１９２８年、弟と出向いた欧米視察旅行で、名門私立スタンフォード大学が、鉄道王リーランド・スタンフォードによる巨額の寄付で設立されたことに感銘を受けました。

「世間から得たお金は世間へ還元する」という近江商人の理念が、故郷の子どもたちの教育に表れています。

昭和時代

＊**伊藤忠兵衛**　犬上郡八目村（豊郷村）出身の商人。
＊＊**丁稚**　職人・商家などに年季奉公をする少年。

登録有形文化財

滋賀県庁舎本館

知事の職場は映画のロケ地⁉

1939年に完成してから、現在も利用されている滋賀県庁舎本館は、鉄筋コンクリート造4階建て、正面中央に塔屋が立つ左右対称の格調高いルネサンス様式で、滋賀県を代表する近代建築の一つです。日比谷公会堂（東京都）などを手がけたことで知られる佐藤功一と、建築装飾を得意とした國枝博が共同で設計をおこないました。

大理石を用いた威厳ある柱や壁と、繊細な装飾が調和し、映画やテレビドラマでもたびたび撮影ロケ地となっています。国の伝統的工芸品に指定され、「六古窯」として日本遺産にも認定されている信楽焼のレリーフが、正面中央階段の手すりの腰壁に使われており、開庁時は自由に見学できます。

●所在地　大津市京町四丁目1-1
※開庁時、自由見学可。「県庁見学」も実施。
くわしくは滋賀県ホームページ参照。

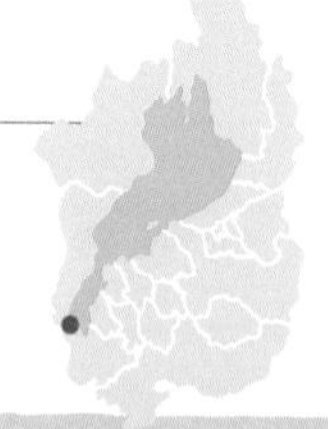

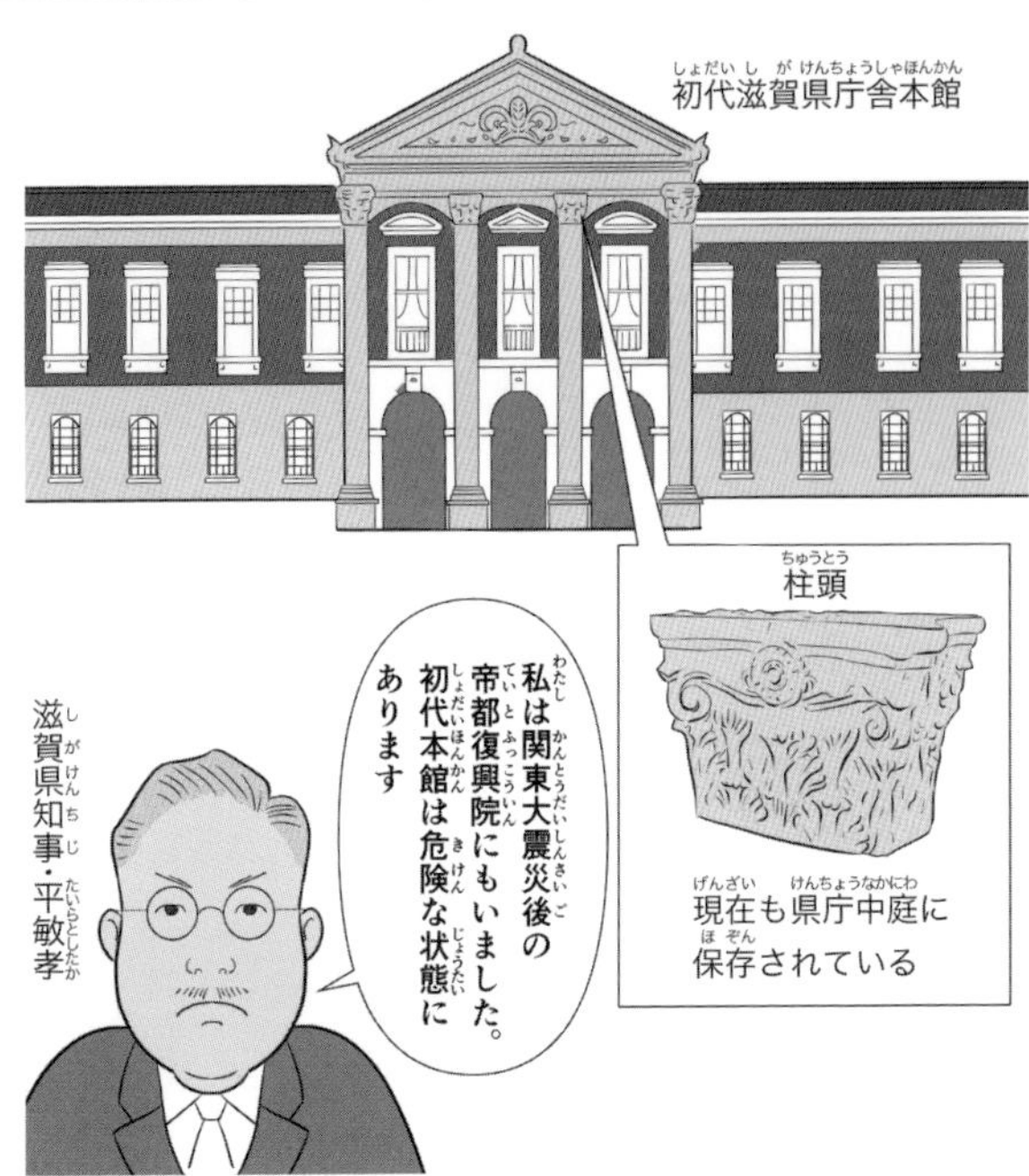

初代滋賀県庁舎本館
柱頭
現在も県庁中庭に保存されている
私は関東大震災後の帝都復興院にもいました。初代本館は危険な状態にあります
滋賀県知事・平敏孝

現在の本館は２代目にあたります。初代は、１８８８年に現在地と同じ場所に完成した煉瓦造２階建て、イングリッシュ・ルネサンス様式の全国的にも例のない近代的庁舎でした。

しかし、昭和に入ると、改築が議論されるようになります。地震対策がなされておらず、京都帝国大学教授の調査では、濃尾地震*や姉川地震**クラスの揺れで、全壊すると報告されました。

工事が始まった１９３７年10月にはすでに日中戦争が始まっており、鉄材の入手が困難ななか、庶務課長が日本製鉄本社に出向いて確保したといいます。

*濃尾地震　1891年10月28日に濃尾地方で発生した地震。
**姉川地震　1909年８月14日に滋賀県北東部を震源として発生した地震。

特別天然記念物

長岡のゲンジボタルおよびその発生地

記念物〈棲息地〉

ホタル狩り、とっていいのは写真だけ！

天野川は、鈴鹿山脈の最北にある霊仙山に源を発し、北の伊吹山からの川と合流して琵琶湖にそそぐ川です。水源の二つの山は石灰岩質でできており、溶け出したカルシウム質をふくんだ水でホタルの幼虫のエサとなる巻貝のカワニナがよく育ちます。中流域にあたる天野川橋付近の1㎞余りは、5～6月にたくさんのゲンジボタルが飛び交う場所として、ホタルでは全国で唯一、特別天然記念物に指定されています。

1972年、当時の山東町は全国に先がけて「山東町蛍保護条例」を制定し、指定範囲よりも広い天野川と町内の三つの川でホタルの捕獲を禁止しました。これを引き継いだ「米原市蛍保護条例」では市内全域で4種のホタルとその幼虫、エサとなる巻貝**の捕獲を禁止しています。

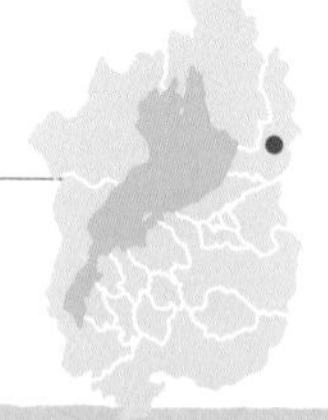

●所在地　米原市長岡
※毎年6月上旬に「天の川ほたるまつり」開催。

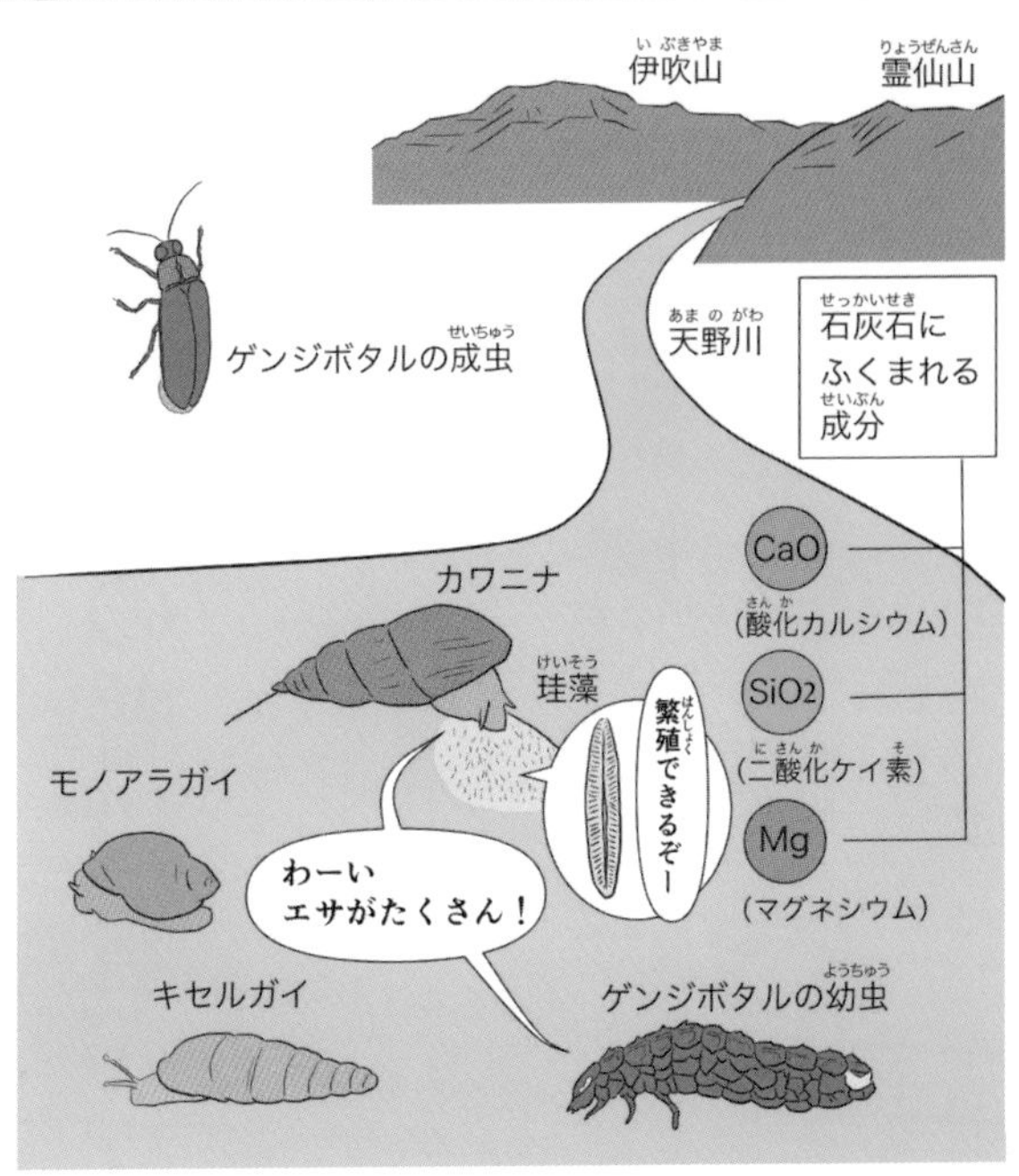

大正時代に長岡は、大津石山や守山のホタルとともに観光名所として有名になりました。1928年(昭和3)の皇室への献上や、名古屋の舞鶴公園で催された「ホタルの夕」で天野川のホタルが放たれたことを新聞が報じると、愛知・岐阜方面からの見物客が押し寄せました。

すると、売るためにつかまえる乱獲が起こり、地元の青年団員が毎晩交代で「ホタル番」をするようになります。この活動が長岡保勝会に発展し、戦後もホタル保護と観光のための活動が続いていきました。

＊4種のホタル　ゲンジボタル、ヘイケボタル、ヒメボタル、クロマドボタル。
＊＊エサとなる巻貝　カワニナ、モノアラガイ、キセルガイなど。

国登録有形民俗文化財

田上の衣生活資料

民俗
〈衣食住〉

先見の明？ 農村の普段着が文化財に

大津市の田上地域で使われていた、木綿の糸紡ぎから機織りまでの道具類と、生地を縫った仕事着や子ども用着物、手拭い、前掛けなど1358点が、2019年に登録有形民俗文化財に登録されました。

昭和40年代から、東郷正文さん（真光寺住職）と田村博さん（元国鉄職員、故人）が農作業用の民具などとともに住民に呼びかけて収集したもので、ちょうど女性の服装が和装から洋装へ切り替わる時期だったため、嫁入りに持参して使われなかった品が多数保存されました。

近年まで田上地域に残っていた、女性が手拭いをかぶり、腰に前垂れを巻く習慣は、京都に近い大原や高島郡の農村でもかつては見られ、古風な礼装が受け継がれたものとして貴重だとされています。

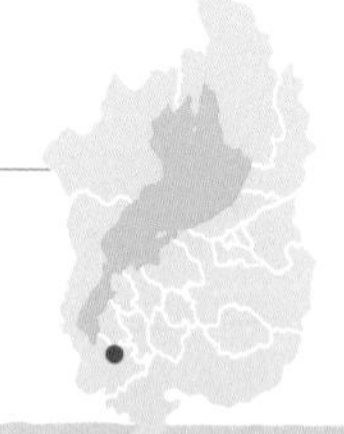

●所　蔵　宗教法人真光寺（田上郷土史料館保管）
●所在地　大津市牧一丁目8-32
※田上郷土史料館の見学は事前連絡要。

１９６０年代、農業の機械化や家の建て替えが進み、使われなくなった生活用具や農具が捨てられるようになりました。

小・中学校の同級生で当時30代だった東郷さんと田村さんは、自分たちにも使い道のわからない古い道具類が珍しく、これらを集め始めました。

１９６８年、真光寺境内に田上郷土史料館を開館。２００５年には元農業倉庫を改修した収蔵庫も完成しました。

「今」の私たちの生活の「何か」も、将来、文化財になる価値を持っているかもしれません。

昭和時代

指定解除

明治天皇行在所・御小休所

史跡の一斉解除!! 改めて指定の地も

長浜市木之本町の浄信寺（通称「木之本地蔵」）の本堂前には「明治天皇木之本行在所」と彫られた石碑が立っています。行在所とは天皇が各地を見回って歩く行幸の際に宿泊した建物のことで、休憩した建物は御小休所といいます。1919年（大正8）にできた史蹟名勝天然紀念物保存法で、昭和初期にかけて明治天皇に関連する場所を史蹟に指定していったため、明治天皇が1872〜1885年にかけておこなった地方巡幸で訪れた滋賀県内の宿泊地9か所と休憩地10か所が、それぞれ行在所、御小休所として史蹟に指定されました。

日本の敗戦から間もない1948年（昭和23）6月、全国に377件あった行在所・御小休所の指定は一斉解除されました。

［行在所］

❶ 別所行幸所（円満院）
❷ 大津別院行在所（大津別院）
❸ 草津行在所（史跡草津宿本陣）
❹ 土山行在所（土山宿本陣跡）
❺ 武佐行在所（広済寺）
❻ 高宮行在所（円照寺）
❼ 長浜行在所（慶雲館）
❽ 木之本行在所（浄信寺）
❾ 柳ヶ瀬行在所（旧松居宅）

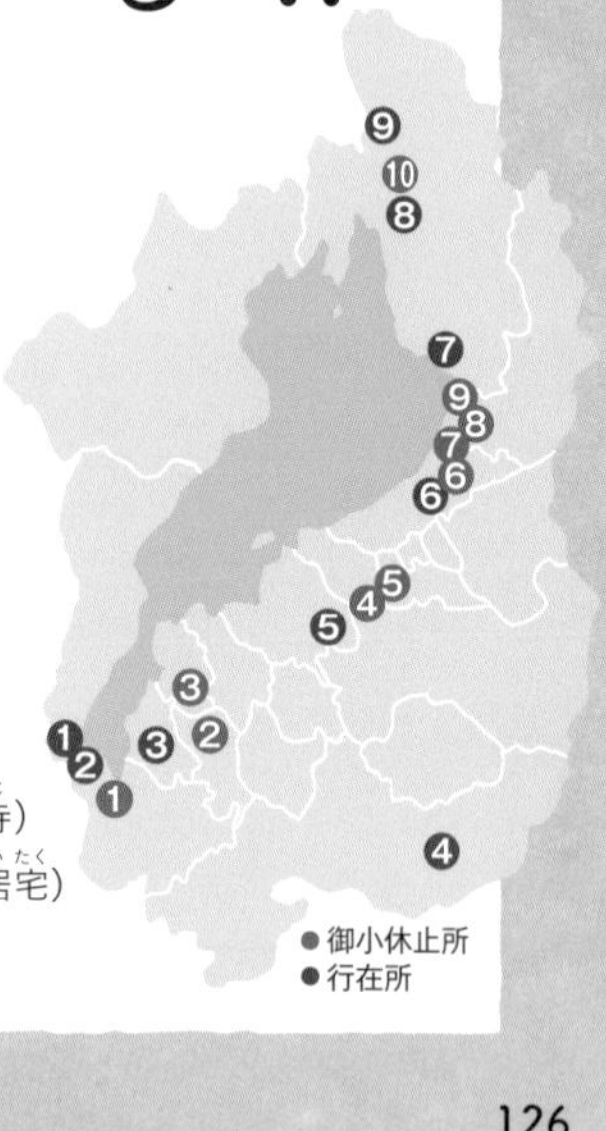

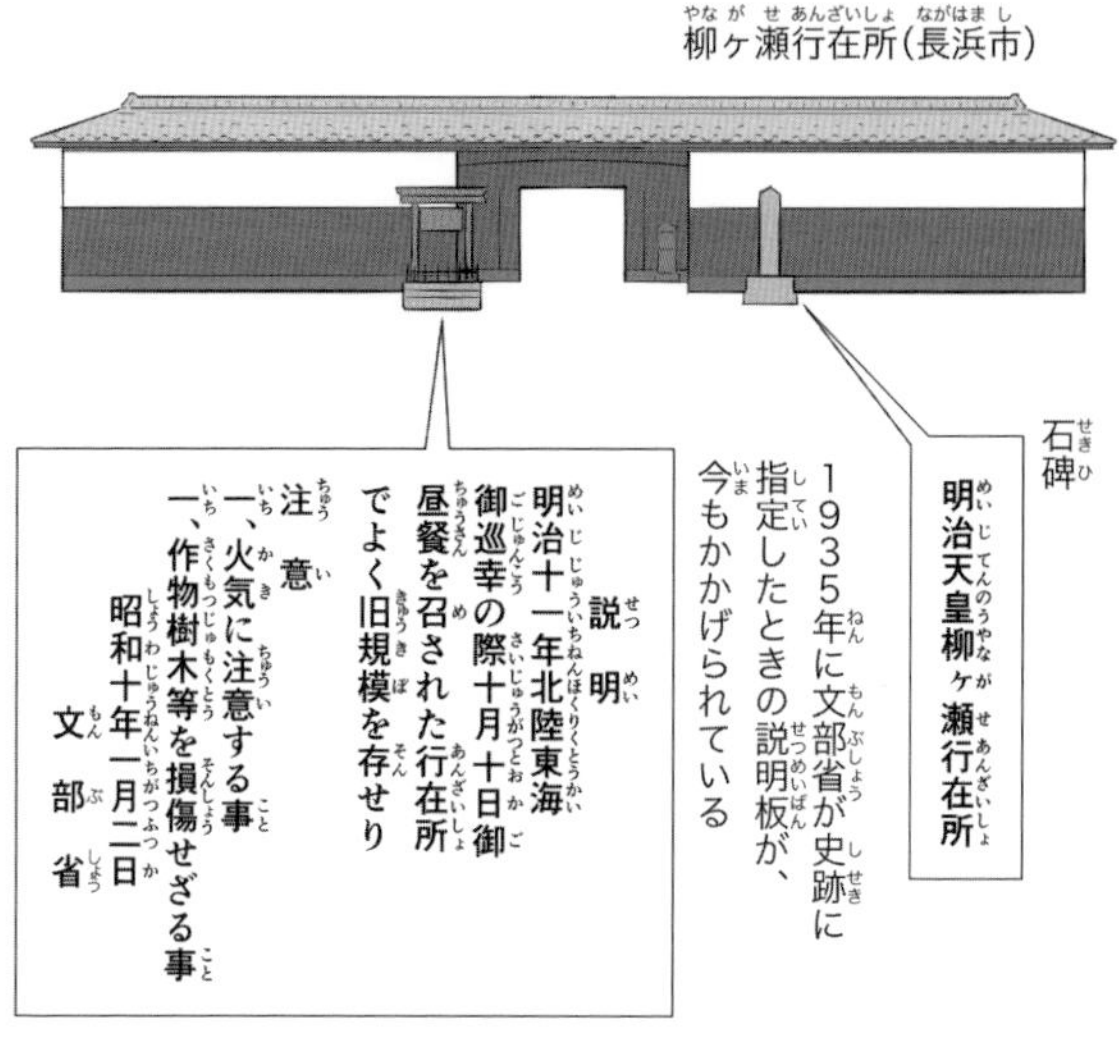

行在所・御小休所だった場所には、「明治天皇聖蹟碑」と彫られた石碑が立っている場合もあります。滋賀県庁舎内にもあります。

指定は解除されたものの、いずれの建物も歴史的に価値の高いものが多く、重要文化財に指定された有川家住宅（彦根市）、登録有形文化財に登録された竹平楼御在所（愛荘町）のほか、草津宿本陣（草津市）、旧和中散本舗（栗東市）、大角氏庭園（栗東市）、福田寺庭園（米原市）、慶雲館庭園（長浜市）のように、改めて史跡や名勝に指定されたものも多数あります。

[御小休所]

❶ 鳥居川御小休所
❷ 六地蔵御小休所（旧和中散本舗大角家住宅）
❸ 守山御小休所（東門院）
❹ 北町屋御小休所
❺ 愛知川御小休所（竹平楼）
❻ 鳥居本御小休所（有川家住宅）
❼ 磨針峠御小休所
❽ 番場御小休所
❾ 長沢御小休所（福田寺）
❿ 中之郷御小休所（明三寺）

滋賀の文化財年表

時代区分	縄文時代	弥生時代	古墳時代
	琵琶湖と滋賀のあけぼの	ムラからクニへ・国家の成立を語る遺跡たち	
日本のあゆみ	狩りや採集の生活	稲作が伝わる 各地にクニ（小国）ができる 57 倭の奴国王が漢に使いを送る 239 卑弥呼が魏に使いを送る	古墳がつくられ始める ヤマト王権の統一が進む 478 倭王武が中国（南朝）に使いを送る 538 または552 仏教伝来（百済から仏像・経典が伝わる）
関連する文化財／滋賀県のあゆみ	竪穴式住居での生活 縄文土器 深鉢 琵琶湖で丸木舟を使う	環濠集落の成立 突線袈裟襷文銅鐸 下鈎遺跡出土小銅鐸	275頃 雪野山古墳 渡来人が移り住む 584 甲賀郡の豪族・鹿深臣が百済から仏像を持ち帰る

※年代の明確でないものや幅の広いものはおよその時代に入れています

常に歴史の表舞台を担う滋賀、都としての滋賀

時代	年	出来事	年	滋賀
飛鳥時代	593	聖徳太子が摂政となる		
飛鳥時代	607	小野妹子を隋に送る（遣隋使）		
飛鳥時代	630	遣唐使の始まり		第一回遣唐使の犬上御田鍬は犬上郡出身
飛鳥時代	645～	大化の改新		
飛鳥時代	663	白村江の戦い	667頃	近江大津宮錦織遺跡
飛鳥時代	672	壬申の乱	668	崇福寺塔心礎納置品
飛鳥時代	701	大宝律令	700頃	石造三重塔（伝・阿育王塔）
奈良時代	710	平城京に都を移す	712	大般若経（和銅経）
奈良時代	743	墾田永年私財法		
奈良時代		荘園の始まり	742	紫香楽宮跡
奈良時代	745	紫香楽宮に遷都（都だったのは約半年のみ）		
奈良時代	752	東大寺大仏完成		狛坂磨崖仏
奈良時代			788	最澄が比叡山に一堂を建立（延暦寺の前身）
平安時代	794	平安京に都を移す		
平安時代		藤原氏による摂関政治の始まり		
平安時代	894	遣唐使の停止		

豊かな仏教文化

平安時代	
	武士の登場
1016	藤原道長が摂政となる（藤原氏全盛）
	荘園が増える
1086	白河上皇が院政を始める
1156	保元の乱
1159	平治の乱
1167	平清盛が太政大臣になる
1180~85	源平の争乱

鎌倉時代	
1185	源頼朝が守護・地頭をおく
1192	源頼朝が征夷大将軍になる
	執権政治
1221	承久の乱
1232	御成敗式目

平安時代	
993	天台宗が山門（比叡山）と寺門（三井寺）に分かれる
	石山寺（大津市）で紫式部が源氏物語を執筆という
	金銀鍍宝相華唐草文透彫華籠
1184	木曽義仲が粟津（大津市）で戦死

鎌倉時代	
1187頃	佐々木定綱が近江守護となる
1200頃	長寿寺本堂
1250頃	西明寺本堂
	六道絵
1269	金銅聖観音坐像

豊かな生産力を背景とした「自立性」

年	南北朝時代・室町時代・戦国時代
1274 / 1281	文永の役・弘安の役 元寇（蒙古襲来）
1333	鎌倉幕府がほろびる
1334	後醍醐天皇による建武の新政
1336	南北朝の内乱
1338	足利尊氏が征夷大将軍になる
	村の自治が進む・倭寇の活発化
1378	足利義満が幕府を室町に移す
1392	足利義満が南北朝を統一する
1404	勘合貿易（日明貿易）が始まる
	都市の発達
1467～77	応仁の乱
	下剋上、国一揆・一向一揆がさかんになる

	信楽焼の始まり（甲賀市）
1300頃	御上神社本殿
1308	苗村神社西本殿
1321	木造聖徳太子立像（聖徳太子二歳像）
1367	寂室元光墨蹟〈遺偈／貞治六年九月一日〉
鎌倉～江戸	菅浦文書・菅浦与大浦下庄堺絵図
	蓮如の布教（浄土真宗の広がり）
1414	大笹原神社本殿
12～16世紀	敏満寺石仏谷墓跡
1528頃	旧秀隣寺庭園

室町時代／戦国時代

- 1543　ポルトガル人が鉄砲を伝える
- 1549　ザビエルがキリスト教を伝える

- 1532　桑実寺縁起絵巻
- 1556　観音寺城跡（改築）
- 1557　弁才天坐像（河路浜惣兵衛奉納）
- 1560頃　国友（長浜市）で鉄砲の生産が始まる

安土・桃山時代

- 1573　織田信長が室町幕府をほろぼす
- 1582　天正遣欧少年使節出発・本能寺の変
- 1590　豊臣秀吉が全国を統一する
- 　　　太閤検地・刀狩
- 1600　関ヶ原の戦い

- 1571　織田信長による比叡山焼き討ち
- 1573　小谷城の戦い（信長により浅井氏滅亡）
- 1576　安土城跡
- 1583　賤ヶ岳の戦いに勝利した秀吉が信長の後継となる
- 16世紀後半　長浜曳山祭の曳山行事
- 16世紀後半　四宮祭月宮殿山飾毛綴／四宮祭鯉山飾毛綴
- 　　　石田三成が西軍を率いて戦う

江戸時代

- 1603　徳川家康が征夷大将軍になる

- 1601　篠津神社表門
- 1601　永原御殿跡
- 1603　宝厳寺唐門
- 1606　彦根城天守

江戸時代

1607	第一回朝鮮通信使（1811年までに計12回来日）
1615	豊臣氏が滅びる　武家諸法度
1635	参勤交代の制
1641頃	鎖国
1685	徳川綱吉の生類憐みの令
1716～	徳川吉宗の享保の改革
1742	公事方御定書
	百姓一揆が増える
1787～	松平定信の寛政の改革
1825	異国船打払令
1833～39	天保の飢饉
1841～	水野忠邦の天保の改革
1853	ペリー来航
1854	日米和親条約
1858	大老井伊直弼が日米修好通商条約を結ぶ
	開国

年	文化財
1634頃	伊庭御殿跡
1635～	草津宿本陣
1696	松尾芭蕉が幻住庵（大津市）に入る
江戸時代	紙本金地著色風俗図（彦根屏風）
1700頃	彦根城馬屋
18世紀前半頃	雨森芳洲関係資料
1747	沙沙貴神社楼門
1754	旧宮地家住宅

日本社会に貢献した「滋賀県」の近代化

時代	年	日本の出来事
江戸時代		安政の大獄　尊王攘夷運動
江戸時代	1867	大政奉還・王政復古の大号令
明治時代	1868	五箇条の御誓文　戊辰戦争
明治時代		神仏分離令
明治時代	1869	版籍奉還
明治時代	1871	廃藩置県
明治時代	1872	学制発布
明治時代	1877	西南戦争
明治時代	1888	臨時全国宝物取調局設置
明治時代	1889	大日本帝国憲法発布
明治時代	1894～95	日清戦争
明治時代		日本の産業革命
明治時代	1897	古社寺保存法
明治時代	1904～05	日露戦争
大正時代 (1912～1926)	1919	史蹟名勝天然紀念物保存法
大正時代	1925	男子普通選挙

年	滋賀県の出来事
1872	「滋賀県」の誕生
1880	滋賀県に鉄道開通（大津―京都間）
1890	琵琶湖疏水が完成（第一疏水）
1891	大津事件関係資料
1907	アンドリュース記念館（旧近江八幡YMCA会館）
18～20世紀頃	近江甲賀の前挽鋸製造用具及び製品

昭和時代	1929	国宝保存法
昭和時代	1941	太平洋戦争開戦
昭和時代	1945	ポツダム宣言受諾・日本降伏
昭和時代	1950	文化財保護法
昭和時代	1951	サンフランシスコ平和条約（日本の独立回復）
平成	1989	
令和	2019	

昭和時代	1937	旧豊郷小学校校舎・講堂・酬徳記念図書館
昭和時代	1939	滋賀県庁舎本館
昭和時代	1948	明治天皇行在所・御小休所（一斉解除）
昭和時代	1961	滋賀県立琵琶湖文化館開館
昭和時代	18～20世紀頃	田上の衣生活資料

長浜城歴史博物館
長浜市公園町10-10　**開館時間** 9:00～17:00（入館は16:30まで）　**休館日** 年末年始（12/27～1/2）、2021年8/1～2022年3/31耐震改修工事のため休館　**入館料** 大人410円、小中学生200円　**TEL** 0749-63-4611

長浜鉄道スクエア
長浜市北船町1-41　**開館時間** 9:00～17:00（入館は16:30まで）　**休館日** 年末年始（12/29～1/3）　**入館料** 大人300円、小中学生150円　**TEL** 0749-63-4091

国友鉄砲ミュージアム
長浜市国友町534　**開館時間** 9:00～17:00（入館は16:30まで）　**休館日** 年末年始（12/28～1/3）　**入館料** 一般300円、小中生150円　**TEL** 0749-62-1250

曳山博物館
長浜市元浜町14-8　**開館時間** 9:00～17:00（入館は16:30まで）　**休館日** 年末年始（12/29～1/3）　**入館料** 大人600円、小人300円　**TEL** 0749-65-3300

浅井歴史民俗資料館「お市の里」
長浜市大依町528　**開館時間** 9:00～17:00(入館は16:30まで）　**休館日** 月曜日（祝日は開館）、祝日の翌日、年末年始(12/27～1/5)　**入館料** 大人300円、小中生150円　**TEL** 0749-74-0101

長浜市立五先賢の館
長浜市北野町1386　**開館時間** 9:00～17:00　**休館日** 水・木曜日、祝日の翌日、年末年始（12/27～1/4）　**入館料** 大人300円、小中学生150円　**TEL** 0749-74-0560

竹生島宝厳寺宝物殿
長浜市早崎町竹生島1664　**開館時間** 12月～2月は10:30～16:00、3～11月は9:30～16:00　**休館日** 無休　**入館料** 中学生以上300円、小学生250円　**TEL** 0749-63-4410

葛籠尾崎湖底遺跡資料館
長浜市湖北町尾上153-2　**開館時間** 9:30～16:00（電話予約により開館）　**休館日** 不定休　**入館料** 高校生以上200円　**TEL** 0749-65-6521（(公社)長浜観光協会）

高月観音の里歴史民俗資料館
長浜市高月町渡岸寺229　**開館時間** 9:00～17:00（入館は16:30まで）　**休館日** 火曜日、祝日の翌日、年末年始（12/29～1/4）　**入館料** 高校生以上300円、小中学生150円　**TEL** 0749-85-2273

雨森芳洲庵（東アジア交流ハウス）
長浜市高月町雨森1166　**開館時間** 9:00～16:00　**休館日** 月曜日、祝日の翌日、年末年始（冬季の積雪量によって休館あり）　**入館料** 一般300円、小中学生150円　**TEL** 0749-85-5095

冷水寺胎内仏資料館
長浜市高月町宇根283-1　**開館時間** 無休　**休館日** 無休　**入館料** 無料（冷水寺は要予約の拝観料200円）　**TEL** 0749-82-5909

菅浦郷土資料館
長浜市西浅井町菅浦　**開館時間と休館日** 4月～11月の日曜日のみ開館10:00～16:00（要予約）　**入館料（協力金）** 大人300円、小学生以下100円　**TEL** 0749-82-5909（長浜観光協会北部事務所）

北淡海・丸子船の館
長浜市西浅井町大浦582　**開館時間** 9:00～17:00（11/1～3/31は10:00～16:00）　**休館日** 火曜日（祝日の場合はその翌日）、年始年末（12/27～1/5）　**入館料** 大人300円、小人150円　**TEL** 0749-89-1130

白谷荘民俗資料館（西近江学校歴史博物館）
高島市マキノ町白谷343　**開館時間** 9:00～17:00　**休館日** 要予約　**入館料** 大人500円、小中高生300円　**TEL** 0740-27-0164

朽木資料館
高島市朽木野尻478-22　**開館時間** 9:00～16:30　**休館日**（要予約）月・火曜日、祝日（ただし5月5日と11月3日は開館）、年末年始　**入館料** 無料　**TEL** 0740-36-1553(高島歴史民俗資料館)

近江聖人 中江藤樹記念館
高島市安曇川町上小川69　**開館時間** 9:00～16:30　**休館日** 月曜日(祝日は除く)、祝日の翌日、年末年始（12/29～1/3）　**入館料** 高校生以上300円、小中生は無料　**TEL** 0740-32-0330

高島歴史民俗資料館
高島市鴨2239　**開館時間** 9:00～16:30　**休館日** 月・火曜日、祝日（ただし5月5日と11月3日は開館）、年末年始（12/28～1/4）　**入館料** 無料　**TEL** 0740-36-1553

近江日野商人ふるさと館「旧山中正吉邸」

蒲生郡日野町西大路1264 **開館時間** 9:00～16:00 **休館日** 毎週月・火曜日（祝日の場合は翌日）、年末年始（12/29～1/4） **入館料** 大人300円、小中学生120円 **TEL** 0748-52-0008

世界凧博物館・東近江大凧会館

東近江市八日市東本町3-5 **開館時間** 9:00～17:00（入館は16:30まで） **休館日** 水曜日、祝日の翌日、第4火曜日、年末年始 **入館料** 一般300円、小中学生150円 **TEL** 0748-23-0081

木地屋民芸品展示資料館

東近江市蛭谷町178 **開館時間** 9:00～16:00 **休館日** 要予約。休館12月1日～3月31日 **入館料** 中学生以上300円 **TEL** 080-8306-6470

近江商人博物館

東近江市五個荘竜田町583 **開館時間** 9:30～17:00（入館は16:30まで） **休館日** 月曜日、祝日の翌日、年末年始 **入館料** 大人300円、小中学生150円 **TEL** 0748-48-7101

東近江市能登川博物館

東近江市山路町2225 **開館時間** 10:00～18:00 **休館日** 月・火曜日、祝日、毎月第4金曜日、年末年始 **入館料** 無料 **TEL** 0748-42-6761

東近江市埋蔵文化財センター

東近江市山路町2225 **開館時間** 8:30～17:00 **休館日** 土・日曜日、祝祭日、年末年始 **入館料** 無料 **TEL** 0748-42-5011

近江商人郷土館

東近江市小田苅町473 **開館時間** 10:00～16:30 **休館日** 月・水・金・日曜日、12/1～2月末日 **入館料** 大人500円、中・高校生300円、小学生100円 **TEL** 0749-45-0002

手織の里　金剛苑

愛知郡愛荘町蚊野外514 **開館時間** 9:00～16:00（受付15:30まで） **休館日** 要予約（火・木曜日のみ開苑） **入館料** 大人330円、小中学生180円 **TEL** 0749-37-4131

愛荘町立歴史文化博物館

愛知郡愛荘町松尾寺878 **開館時間** 10:00～17:00（入館は16:30まで） **休館日** 月曜・火曜日（祝日は除く）、祝日の翌日、年末年始 **入館料** 大人300円、小中生150円 **TEL** 0749-37-4500

愛荘町愛知川びんてまりの館

愛知郡愛荘町市1673 **開館時間** 10:00～18:00 **休館日** 月曜日、火曜日、祝日、毎月最終水曜日、年末年始 **入館料** 無料 **TEL** 0749-42-4114

㈶豊会館

犬上郡豊郷町下枝56 **開館時間** 9:00～16:00 **休館日** 月・水・金曜日、年末年始 **入館料** 大人200円、小人（小・中学生）100円 **TEL** 0749-35-2356

甲良豊後守宗廣記念館

犬上郡甲良町法養寺501 開館時間と**休館日** 要電話予約 **入館料** 無料 **TEL** 0749-38-2035（甲良町観光協会）

多賀町立博物館

犬上郡多賀町四手976-2 **開館時間** 10:00～18:00（土・日・祝日は17:00まで） **休館日** 月曜日、第3日曜日、祝日、毎月最終木曜日、年末年始 **入館料** 16歳以上250円 **TEL** 0749-48-2077

彦根城博物館

彦根市金亀町1-1 **開館時間** 8:30～17:00（入館は16:30まで） **休館日** 年末（12/25～12/31） **入館料** 一般500円、小中学生250円、企画展・特別展はそのつど定める料金 **TEL** 0749-22-6100

滋賀大学経済学部附属史料館

彦根市馬場1丁目1-1 **開館時間** 9:30～16:00 **休館日** 土・日曜、祝休日（学外者の閲覧は月～水曜日、1週間前までに閲覧申請書を提出） **入館料** 無料 **TEL** 0749-27-1046

伊吹山文化資料館

米原市春照77 **開館時間** 9:00～17:00（入館は16:30まで） **休館日** 月曜日（祝日の翌日）、祝日の翌日、12/27～1/5 **入館料** 一般200円、中学生以下100円 **TEL** 0749-58-0252

米原市柏原宿歴史館

米原市柏原2101 **開館時間** 9:00～17:00（入館は16:30まで） **休館日** 月曜日（祝日の翌日）、祝日の翌日、12/27～1/5 **入館料** 大人300円、小人（小中学生）150円 **TEL** 0749-57-8020

米原市醒井宿資料館

米原市醒井592 **開館時間** 9:00～17:00（入館は16:30まで） **休館日** 月曜日（祝日の場合は翌日）、年末年始（12/27～1/5） **入館料** 大人（高校生以上）200円、小人（小中学生）100円 **TEL** 0749-54-2163

東海道石部宿歴史民俗資料館

湖南市雨山2-1-1　**開館時間** 9:00～16:30　**休館日** 月曜日（祝日を除く）、祝日の翌日（土・日曜日を除く）、年末年始（12/28～1/4）　**入館料** 大人350円、児童生徒150円　**TEL** 0748-77-5400

甲賀市水口歴史民俗資料館

甲賀市水口町水口5638　**開館時間** 10:00～17:00　**休館日** 木・金曜日、年末年始　**入館料** 大人150円、小中生80円　**TEL** 0748-62-7141

水口城資料館

甲賀市水口町本丸4-80　**開館時間** 10:00～17:00　**休館日** 木・金曜日、年始年末　**入館料** 大人100円、小中生50円　**TEL** 0748-63-5577

甲賀市土山歴史民俗資料館

甲賀市土山町北土山2230　**開館時間** 10:00～17:00　**休館日** 月曜日、火曜日、年末年始　**入館料** 無料　**TEL** 0748-66-1056

甲賀市甲賀歴史民俗資料館

甲賀市甲賀町油日1042　**開館時間** 10:00～17:00　**休館日** 月曜日、年末年始、事前に電話で問い合わせされるのが好ましい、団体は前もって電話必要　**入館料** 大人200円、高大生150円、小中生100円　**TEL** 0748-88-2106

甲賀忍術博物館

甲賀市甲賀町隠岐394　**開館時間** 10:00～17:00　**休館日** 月曜日（開館の場合あり要問合せ、祝日の場合は翌日）、年末年始（12/27～1/1）　**入館料** 忍術村入村料（大人1100円、中高生900円）により入館できる　**TEL** 0748-88-5000

甲賀市くすり学習館

甲賀市甲賀町大原中898-1　**開館時間** 9:30～17:00　**休館日** 毎週月曜日（祝日の場合は翌日）、年末年始（12/29～1/3）　**入館料** 無料　**TEL** 0748-88-8110

甲賀市甲南ふれあいの館

甲賀市甲南町葛木925　**開館時間** 10:00～17:00　**休館日** 月・火曜日、年末年始　**入館料** 無料　**TEL** 0748-86-7551

甲賀流忍術屋敷

甲賀市甲南町竜法師2331　**開館時間** 9:30～17:00（入館は16:30まで）　**休館日** 年末年始（12/27～1/1）　**入館料** 大人（中学生以上）700円、小人（4歳以上）400円　**TEL** 0748-86-2179

紫香楽宮跡関連遺跡群発掘調査事務所展示室

甲賀市信楽町宮町641-1　**開館時間** 8:30～17:00　**休館日** 土・日曜日、祝日、年末年始 ※臨時休館・開館の場合あり　**TEL** 無料　**TEL** 0748-83-1919

滋賀県立陶芸の森陶芸館

甲賀市信楽町勅旨2188-7　**開館時間** 9:30～17:00（入館は16:30まで）　**休館日** 月曜日（祝日の場合は翌日）、年末年始　**入館料** 特別展の料金はそのつど定めますが、中学生以下は無料　**TEL** 0748-83-0909

信楽伝統産業会館

甲賀市信楽町長野1203　**開館時間** 9:00～17:00　**休館日** 木曜日（祝日の場合は翌日）、年末年始　**入館料** 無料　**TEL** 0748-82-2345

ヴォーリズ記念館

近江八幡市慈恩寺町元11　**開館時間** 10:00～16:00（要電話予約）　**休館日** 月曜日、祝日、その他不定休　**入館料** 400円（高校生以下は無料）　**TEL** 0748-32-2456

近江八幡市立資料館

近江八幡市新町2-22　**開館時間** 9:00～16:30（入館は16:00まで）　**休館日** 月曜日、祝日の翌日、年末年始　**入館料** 一般大人500円、小中学生250円　**TEL** 0748-32-7048

かわらミュージアム

近江八幡市多賀町738-2　**開館時間** 9:00～17:00（入館は16:30まで）　**休館日** 月曜日（祝日の場合は翌日）、祝日の翌日、年末年始　**入館料** 一般300円、小中学生200円　**TEL** 0748-33-8567

安土城郭資料館

近江八幡市安土町小中700　**開館時間** 9:00～17:00（入館は16:30まで）　**休館日** 月曜日（祝日を除く）、祝翌日（平日のみ）、年末年始　**入館料** 大人200円、学生150円、小人100円　**TEL** 0748-46-5616

滋賀県立安土城考古博物館

近江八幡市安土町下豊浦6678　**開館時間** 9:00～17:00（入館は16:30まで）　**休館日** 月曜日（休日の場合は翌日）、年末年始（12/28～1/4）　**入館料** 一般500円、高大生320円、小中学生無料　**TEL** 0748-46-2424

近江日野商人館

蒲生郡日野町大窪1011　**開館時間** 9:00～16:00　**休館日** 月・火曜日（祝日の場合は水曜日）、年末年始（12/29～1/4）　**入館料** 大人・高大生300円、小中生120円　**TEL** 0748-52-0007

滋賀県の博物館・資料館

（2021年３月現在）

近江神宮時計館宝物館
大津市神宮町1-1　**開館時間** 9:00～16:30　**休館日** 月曜日（祝日の場合は開館）　**入館料** 大人300円、小中学生150円　**TEL** 077-522-3725

大津市歴史博物館
大津市御陵町2-2　**開館時間** 9:00～17:00　**休館日** 月曜日（祝日の場合はその翌日）、祝日の翌日（土・日曜日の場合は開館）、年末年始　**入館料** 一般330円、高大生240円、小中学生160円　**TEL** 077-521-2100

香の里史料館
大津市伊香立下在地町1223-1　**開館時間** 9:00～16:00　**休館日** 月・火曜日、祝日、年末年始　**入館料** 無料　**TEL** 077-598-2005

大津祭曳山展示館
大津市中央1-2-27（丸屋町アーケード街）　**開館時間** 9:00～18:00（入館は17:30まで）　**休館日** 月曜日（休日の場合は開館、翌日が休館）、年末年始（12/30～1/3）　**入館料** 無料　**TEL** 077-521-1013

滋賀県埋蔵文化財センター
大津市瀬田南大萱町1732-2　**開館時間** 8:30～17:15　**休館日** 土・日・祝日および年末年始　**入館料** 無料　**TEL** 077-548-9681

滋賀県立琵琶湖文化館［休館中］
大津市打出浜地先　**業務時間** 8:30～17:15　**休業日** 土・日・祝　**TEL** 077-522-8179

史跡　義仲寺
大津市馬場1-5-12　**開館時間** 9:00～17:00（11月～２月は16:00まで）　**休館日** 月曜日（祝日は開門）　**入館料** 高校生以上300円、中学生150円、小学生100円　**TEL** 077-523-2811

建部大社宝物殿
大津市神領1-16-1　**開館時間** 9:00～16:00　**休館日** 事前申込必要　**入館料** 大人200円　**TEL** 077-545-0038

大津市埋蔵文化財調査センター
大津市滋賀里一丁目17-23　**開館時間** 9:00～17:00　**休館日** 土・日・祝日および年末年始　**入館料** 無料（講座等は有料）　**TEL** 077-527-1170

田上郷土史料館
大津市牧1-8-32　**開館時間** 随時　**休館日** 開館は随時、事前に連絡していただくことが望ましい　**入館料** 無料　**TEL** 077-549-0369

比叡山国宝殿
大津市坂本本町4220　**開館時間** ３月～11月 8:30～16:30、12月 9:00～16:00、１月～２月 9:00～16:30　**休館日** 年中無休　**入館料** 大人500円、中高生300円、小学生100円　**TEL** 077-578-0001

湖族の郷資料館
大津市本堅田1-21-27　**開館時間** 10:00～16:00　**休館日** 水曜日、年始年末　**入館料** 200円、高校生以下無料　**TEL** 077-574-1685

滋賀県立琵琶湖博物館
草津市下物町1091　**開館時間** 10:00～16:30（入館は16:00まで）※入館にはインターネットによる事前予約が必要　**休館日** 月曜日（休日の場合は開館）、年末年始　**入館料** 一般800円、高大生450円、小中生無料　**TEL** 077-568-4811

草津宿街道交流館
草津市草津3-10-4　**開館時間** 9:00～17:00（入館は16:30まで）　**休館日** 月曜日、年末年始（12/28～1/4）、祝日の翌日（土・日と重なった場合は開館）　**入館料** 一般200円、高大生150円、小中生100円　**TEL** 077-567-0030

守山市立埋蔵文化財センター
守山市服部町2250　**開館時間** 9:00～16:00　**休館日** 火曜日（祝祭日等休日を除く）、祝日の翌日、年末年始　**入館料** 無料（特別展も含む）　**TEL** 077-585-4397

栗東歴史民俗博物館
栗東市小野223-8　**開館時間** 9:30～17:00（入館は16:30まで）　**休館日** 月曜日（祝日を除く）、祝日の翌日（土・日曜・祝日を除く）、年末年始（12/28～1/4）　**入館料** 無料（特別展開催時には別途料金が設定されることがある）　**TEL** 077-554-2733

国指定重要文化財「大角家」住宅旧和中散本舗
栗東市六地蔵402　**開館時間** 10:00～16:00　**休館日** 予約申込制、年末年始・盆休み（12/25～1/7、8/13～8/17）は休館　**入館料** 一般500円、小中学生200円　**TEL** 077-552-0971

銅鐸博物館（野洲市歴史民俗博物館）
野洲市辻町57-1　**開館時間** 9:00～17:00（入館は16:30まで）　**休館日** 月曜日（祝日の場合は開館）、祝日の翌日（土・日曜・祝日の場合は開館）、年末年始（12/28～1/4）　**入館料** 一般200円、高大生150円、小中生100円　**TEL** 077-587-4410

図の出典

P31　**銅鐸の鋳型模式図**　島根県立古代出雲歴史博物館編『企画展　弥生青銅器に魅せられた人々　その製作技術と祭祀の世界』ハーベスト出版（2012）掲載の図をもとに作図

P83　**大津城天守（推定復元図）**　スカイプラザ浜大津「特別企画展　大津城―城主・京極高次とお初」展示の復元想像図をもとに作図

彦根城天守立面図　滋賀県教育委員会編『国宝彦根城天守・附櫓及び多聞櫓修理工事報告書』（1960）掲載の図をもとに作図

P91　**田中七左衛門本陣の間取り**　嘉永２年作成「七左衛門本陣間取図」（草津宿本陣蔵）をもとに作図

P97　**坂本の縦断図と律院の庭園平面図**　河端邦彦・山田圭二郎・中村良夫「都市空間における遣水型水路網に関する研究」『土木計画学研究・論文集　No.17』公益財団法人土木学会（2000）掲載の図をもとに作図

凸版印刷株式会社印刷博物館編『日本印刷文化史』講談社（2020）
豊坂光弘・阿部節男「カワニナの生息環境に配慮した水路改修手法の事例」『東北農業研究　60号』（2007）
長浜城歴史博物館編『企画展　葛籠尾崎湖底遺跡―深湖に眠る水の宝―』（2020）
長浜城歴史博物館編『菅浦文書が語る民衆の歴史―日本中世の村落社会―』サンライズ出版（2014）
長浜曳山文化協会・滋賀県立大学人間文化学部地域文化学科編『長浜曳山祭の芸能（長浜曳山子ども歌舞伎および長浜曳山囃子民俗調査報告書）』（2012）
中山れいこ『いのちのかんさつ6　ホタル』少年写真新聞社（2013）
奈良俊哉「近江八幡の水郷」『滋賀県文化財教室シリーズ228』滋賀県文化財保護協会（2008）
成瀬弘明「彦根城馬屋」『滋賀県文化財教室シリーズ８』財団法人滋賀県文化財保護協会（1976）
『日本の国宝080　滋賀／西明寺　金剛輪寺　長寿寺　常楽寺　善水寺　常明寺　太平寺　苗村神社　御上神社　大笠原神社（週刊朝日百科）』朝日新聞社（1998）
『日本の国宝076　滋賀／延暦寺　日吉大社　聖衆来迎寺（週刊朝日百科）』朝日新聞社（1998）
橋本道範編著『再考ふなずしの歴史』サンライズ出版（2016）
秦荘町歴史文化資料館編『秦荘町歴史文化資料館　常設展示案内』（1995）
早崎慶三『近江文化叢書28 大津事件の真相（復刻版）』サンブライト出版（1987）
林屋辰三郎ほか編『新修大津市史４　近世後期』大津市役所（1981）
比叡山延暦寺・天台宗務庁編『別冊太陽　天台宗開宗千二百年記念　比叡山　日本仏教の母山』平凡社（2006）
東近江市教育委員会埋蔵文化財センター編『東近江市の遺跡シリーズ３　後藤館跡』（2011）
「琵琶湖がつくる近江の歴史」研究会編『城と湖と近江』サンライズ出版（2002）
古田亮監修『別冊太陽　岡倉天心　近代美術の師』平凡社（2013）
古川博康『明治・大正・昭和を生きた実業家　古川鉄治郎、そして豊郷小学校』公益財団法人 芙蓉会（2016）
古谷正覚ほか『たずねる・わかる　聖徳太子』淡交社（2020）
堀江茂雄・平居正城「国指定特別天然記念物　長岡のゲンジボタルおよびその発生地」『滋賀県文化財教室シリーズ80』財団法人滋賀県文化財保護協会（1985）
水野さや『図説　韓国の国宝』河出書房新社（2011）
水野正好「近江銅鐸」『滋賀県文化財教室シリーズ48』財団法人滋賀県文化財保護協会（1981）
毛利道大「旧秀隣寺庭園」『滋賀県文化財教室シリーズ178』滋賀県文化財保護協会（1998）
野洲市教育委員会文化財保護課『永原御殿跡総合調査報告書』（2019）
山形政昭『ヴォーリズの西洋館　日本近代住宅の先駆』淡交社（2002）
湯原公浩『京・近江・大和の名庭』平凡社（2004）
吉岡竜巳編著『豊郷小学校旧校舎群ガイドブック』豊郷町（2012）
栗東町史編さん委員会編『栗東の歴史　第一巻　古代・中世編』栗東町（1988）
竜王町教育委員会編『古墳時代前期の王墓　雪野山古墳から見えてくるもの』サンライズ出版（2014）
「歴史探訪　韓国の文化遺産」編集委員会編『歴史探訪　韓国の文化遺産　上』山川図書出版（2016）

会(1996)
京都新聞社編『古民家探訪　京都滋賀に残る伝統建築』京都新聞出版センター(2012)
朽木村史編さん委員会編『朽木村史　通史編』高島市(2010)
朽木村史編さん委員会編『朽木村史　資料編』高島市(2010)
國賀由美子「桑実寺縁起絵巻」『滋賀県文化財教室シリーズ227』滋賀県文化財保護協会(2008)
甲賀市史編さん委員会『甲賀市史　第5巻　信楽焼・考古・美術工芸』甲賀市(2013)
甲南町教育委員会編『近江甲賀の前挽鋸』(2003)
小林博「草津宿本陣」『滋賀県文化財教室シリーズ40』財団法人滋賀県文化財保護協会(1980)
小松茂美編『続日本の絵巻24 桑実寺縁起絵巻　道成寺縁起』中央公論社(1992)
佐々木憲一『シリーズ　遺跡を学ぶ008　未盗掘石室の発見・雪野山古墳』新泉社(2004)
サンライズ出版編『すごいぞ！彦根城』(2015)
滋賀県教育委員会事務局文化財保護課編『重要文化財旧宮地家移築修理工事報告書』滋賀県教育委員会(1970)
滋賀県教育委員会事務局文化財保護課編『長命寺古文書等調査報告書』滋賀県教育委員会(2003)
滋賀県文化財保護協会「新近江名所圖会　第29回　忘れ去られた史跡「明治天皇聖蹟」—長浜・慶雲館—」公益財団法人滋賀県文化財保護協会ホームページ(2010年)
滋賀県立安土城考古博物館『秋季特別展　観音寺城と佐々木六角』(1995)
滋賀県立安土城考古博物館編『特別展　近江源氏と沙沙貴神社—近江守護佐々木一族の系譜—』(2002)
滋賀県立安土城考古博物館編『特別展　戦国の城—安土城への道』(2009)
滋賀県立安土城考古博物館・財団法人滋賀県文化財保護協会編『城と城下町—彦根藩と膳所藩を中心に—』滋賀県立安土城考古博物館(2007)
滋賀県立安土城考古博物館編『特別展　信長の城・秀吉の城—織豊系城郭の成立と展開—』(2006)
滋賀県立大学人間文化学部編『苗村神社三十三年式年大祭調査報告書』竜王町教育委員会(2015)
滋賀県立琵琶湖文化館編『特別展　大般若経の世界』(1995)
滋賀の食事文化研究会編『淡海文庫5　ふなずしの謎　新装版』サンライズ出版(2011)
滋賀の食事文化研究会編『淡海文庫36　芋と近江のくらし』サンライズ出版(2006)
下坂守「菅浦文書—湖北の浦に生きた人々—」『滋賀県文化財教室シリーズ138』滋賀県文化財保護協会(1993)
新谷和之『戦国期六角氏権力と地域社会』思文閣出版(2018)
菅原和之「国宝　御上神社本殿」『滋賀県文化財教室シリーズ145』滋賀県文化財保護協会(1994)
須藤護編『館報5　田上の衣生活資料』田上郷土史料館(2019)
染谷智幸・鄭炳説編『韓国の古典小説』ぺりかん社(2008)
高木文恵「国宝・彦根屏風を読み解く」『滋賀県文化財教室シリーズ224』滋賀県文化財保護協会(2007)
多賀町教育委員会編『敏満寺遺跡石仏谷墓跡』サンライズ出版(2005)
高月町立観音の里歴史民俗資料館編『特別展　雨森芳洲と朝鮮通信使』(2009)
竹生島奉賛会編『竹生島　琵琶湖に浮かぶ神の島』サンライズ出版(2017)
土井通弘「近江の大般若経」『滋賀県文化財教室シリーズ131』滋賀県文化財保護協会(1993)
土井通弘「寂室元光　人とその書」『滋賀県文化財教室シリーズ52』財団法人滋賀県文化財保護協会(1982)
銅鐸博物館編『特別展図録　野洲の歴史と文化』(2004)

参考文献

第1章

滋賀県編『滋賀縣史　第4巻　最近世』滋賀県(1928)

滋賀県史編さん委員会編『滋賀県史　昭和編　第6巻　教育文化編』滋賀県(1985)

滋賀県保勝会編『滋賀縣史蹟名勝天然紀念物調査報告概要』(1922)

中村賢二郎『文化財保護制度概説』ぎょうせい(1999)

『日本の国宝101　国宝と文化財(週刊朝日百科)』朝日新聞社(1999)

森本和夫『47都道府県・国宝／重要文化財百科』丸善出版(2018)

第2章

青盛透「近江のケンケト祭り—中世囃子物の伝統—」『滋賀県文化財教室シリーズ181』滋賀県文化財保護協会(1998)

浅倉美津子『タピストリーを視る—その歴史と未来—』東方出版(2004)

池野保「国宝西明寺本堂」『滋賀県文化財教室シリーズ151』滋賀県文化財保護協会(1995)

池野保「国宝彦根城天守、附櫓及び多聞櫓の保存修理」『滋賀県文化財教室シリーズ175』滋賀県文化財保護協会(1998)

石川慎治『近江古民家—素材・意匠—』サンライズ出版(2017)

石田潤一郎・池野保『滋賀県庁舎本館—庁舎の佐藤功一×装飾の國枝博』サンライズ出版(2014)

入矢義高『日本の禅語録　第10巻　寂室』講談社(1979)

ヴォーリズ、W.M.『ヴォーリズ著作集1　吾家の設計』創元社(2017)

近江八幡市史編集委員会編『近江八幡の歴史　第六巻　通史Ⅰ　歴史のあけぼのから安土城まで』近江八幡市(2014)

オード・ゴミエンヌ『ギリシャ神話キャラクター事典』グラフィック社(2020)

大阪城天守閣・長浜市長浜城歴史博物館編『豊臣家ゆかりの〝天女の島〟びわ湖竹生島の歴史と宝物』大阪城天守閣(2020)

大津市歴史博物館編『地中からの贈りもの—遺跡が語る大津—』(2011)

大津市歴史博物館市史編さん室編『図説　大津の歴史　下巻』(1999)

岡本信男『芋くらべの里　中山史』中山東区(1997)

岡本祐美『すぐわかる日本の国宝の見かた　絵画・書　彫刻　工芸』東京美術(2003)

岡村完道『別冊淡海文庫14 近江の松』サンライズ出版(2005)

小栗栖健治『図説　地獄絵の世界』河出書房新社(2013)

小谷量子『桑実寺縁起絵巻』と慶寿院の結婚をめぐって(上)」『日本女子大学大学院文学研究科紀要　第25号』日本女子大学(2018)

小谷量子『桑実寺縁起絵巻』と慶寿院の結婚をめぐって(下)」『日本女子大学大学院文学研究科紀要　第26号』日本女子大学(2019)

蒲生町国際親善協会編『石塔寺三重石塔のルーツを探る—日韓文化交流シンポジウムの記録』サンライズ出版(2000)

河端邦彦・山田圭二郎・中村良夫「都市空間における遣水型水路網に関する研究」『土木計画学研究・論文集　No.17』公益財団法人土木学会(2000)

木村至宏「ウツクシマツ自生地」『滋賀県文化財教室シリーズ158』財団法人滋賀県文化財保護協

- 監修　滋賀県文化スポーツ部文化財保護課
- 執筆・イラスト　岸田幸治（サンライズ出版）
- レイアウト　岸田詳子（サンライズ出版）

本当はスゴイ！滋賀の文化財

2021年３月31日　初版第１刷発行

監修／滋賀県文化財保護課
〒520-8577 滋賀県大津市京町四丁目1-1
電話 077-528-4681

制作・発行／サンライズ出版
〒522-0004 滋賀県彦根市鳥居本町655-1
電話 0749-22-0627

印刷・製本／P-NET信州

ISBN978-4-88325-732-4